Z GRUBSZA WENUS

Anna Fryczkowska

. . .

Prószyński i S-ka

Projekt okładki
Magdalena Danaj

Zdjęcie na okładce
foto: Dominik Kulaszewicz
na zdjęciu: Agnieszka Haponiuk

Redaktor prowadzący
Anna Derengowska

Redakcja
Joanna Habiera

Korekta
Maciej Korbasiński

Łamanie
Alicja Rudnik

ISBN 978-83-7839-738-0

Warszawa 2014

Wydawca
Prószyński Media Sp. z o.o.
02-697 Warszawa, ul. Rzymowskiego 28
www.proszynski.pl

Druk i oprawa
Drukarnia POZKAL Spółka z o.o.
88-100 Inowrocław, ul. Cegielna 10-12

Od autorki

Nie ja jedna żałuję, że nie dano nam możliwości przeredagowania własnego życia albo wręcz przejścia go od początku, z większą wiedzą i doświadczeniem, dzięki czemu za drugim razem moglibyśmy uniknąć mylnych wyborów i kretyńskich błędów.

Na szczęście mogę dać taką możliwość moim bohaterkom. Po co? A dlatego, że mój debiut, *Straszne historie o otyłości i pożądaniu*, miał wszelkie zalety, ale i wszelkie wady pierwszej książki.

Ta powieść powstała z tamtej. Jest jednak od niej grubsza i mądrzejsza, zupełnie jak dzisiejsza Anna Fryczkowska jest grubsza i mądrzejsza od tamtej, która w 2007 roku skakała do góry z radości, że ktoś chce wydać jej debiut, a potem płakała nad paskudnymi różowymi okładkami, przy których upierał się wydawca.

To nie jest ta sama książka. Jest tylko do niej podobna, jak dojrzała kobieta do młodej dziewczyny.

Tak, nadal uważam, że potyczki kobiet z ich własnymi ciałami to bardzo ważny temat. I w życiu, i w literaturze.

*Mam osiemdziesiąt lat, robię sto brzuszków dwa
razy dziennie, zeszłam do czterdziestu kilo.*

Eve Ensler, *Dobre ciało*

*O rozdynione, o nadmierne
i podwojone odrzuceniem szaty,
i potrojone gwałtownością pozy
tłuste dania miłosne!*

Wisława Szymborska, *Kobiety Rubensa*

Baśka

Stanik o gabarytach kamizelki kuloodpornej bezwstydnie rozkładał miseczki na brzegu wanny.

Jej współlokatorka, żeby wyglądać po ludzku, musiałaby stracić przynajmniej pół siebie. Baśka tylko szesnaście procent. Już zaczynała żałować, że tu przyjechała.

Nienawidziła pokoi hotelowych. Jeżeli gdzieś jest piekło, to wygląda właśnie tak – buraczkowa wykładzina dywanowa na podłodze, po której deptały setki zagrzybionych stóp. Nie swój sedes ze źle wyprofilowaną deską, na której siedzieć trudno i brudno. Szafa, w której czuć obcymi ciuchami, z dyktą porysowaną przez pokolenia, które w rogu przyklejały gumę na tyle dyskretnie, że sprzątaczka ją przeoczyła. Poduszka przesiąknięta cudzymi snami, ale w środku, bo z wierzchu zapachy kryją się pod wczasowym płynem zmiękczającym. Jakie koszmary ścigały ludzi w tej pościeli? Już wiedziała, że będzie miała problem z zaśnięciem.

Czuła ulgę, że jest na razie sama, choć była to samotność względna, wśród porozwlekanych cudzych rzeczy, obok zajętego lepszego łóżka, co z miejsca ją wkurzyło, w końcu wypadałoby przynajmniej zapytać.

Jaka współlokatorka jej się trafi?

Najlepsza byłaby przezroczysta, neutralna obecność. Wsparcie bez zapachów, staników, wygniecionych poduszek, niepotrzebnego gadania. Dwa tygodnie męki, już je przeczuwała, patrząc na rzeczy tamtej. Stara będzie czy młoda? Bezguście w każdym razie, w różowych swetrach wielkości namiotu, zajmujących dwie trzecie szafy, pachnących perfumami starszej pani. Czytała babskie pisma, które otwierały się na stronach kulinarnych. Kosmetyki polskie, tanie, bezpretensjonalne. Zero luksusu, zero wdzięku, zero uroków życia. W sportowe buty – jak płetwy – w przedpokoju wciśnięte raczej używane skarpetki. Gdzie włóczy się ta baba o dwudziestej pierwszej dwadzieścia trzy?

Stanęła nad jej walizką, zawahała się. Nie, wolała nie znać małych, śmierdzących tajemnic, pamiętników, romansideł, gaci z brązową smugą, nocnego T-shirtu przesiąkniętego potem. Niech siedzą w plastikowej trumience, dojrzewając do powrotu swojej pani.

Zahaczyła długopisem ramiączko stanika i rzuciła na łóżko współlokatorki.

Myć się? A jeśli tamta wejdzie?

Spać? A jak tamta wejdzie?

Położyć się na łóżku, niby luzacko, i udawać obojętność, gdy tamta wejdzie?

Gorzej niż noc poślubna.

Wybiegła na balkon, zachłysnęła się czarnym mroźnym powietrzem nocy, cudzym papierosem palonym na balkonie obok. Stały obie, Baśka i palaczka, udając, że się nie widzą, obie chciały być same, ale tylko jedna z nich dmuchała intensywną wonią, więc ta druga musiała wrócić do pokoju, szczelnie zamknąć drzwi balkonu i czekać, czekać na towarzystwo, z którym przyjdzie jej spędzić następne dwa tygodnie.

Baśka

Pukanie, niepewne.

Janina Pindel. Albo jakoś tak.

Baśka, i tyle. Przecież nie będą po nazwisku.

Janiny wiek wieloznaczny, jak to u grubasek. Twarz bez zmarszczek, grubym się w końcu nie robią, ale podbródek należałoby raczej nazwać podbródem, poniżej wypiętrzał się cycował, pod nim brzuchował i cipował, pod którymi trzęsły się uda, a z każdego dałoby się wykroić po jednej pokaźnej dziewczynie. A przy tym wszystkim zero kompleksów, bo Janina już po chwili chodziła w beżowej halce po pokoju. Stęchła woń jej ciała przebijała spod dezodorantu, więc Baśka schowała się pod kołdrą. Nie spoufalać się, nie gadać, światło gasić i lulu. Późno już, na szczęście.

To znaczy Janina powinna od razu usnąć bez gadania, bo Baśka musiała jeszcze połknąć parę stron durnej powieści-usypiacza, w oczekiwaniu, aż zadziała pastylka nasenna.

– Nie, światło mi nie przeszkadza – zaznaczyła tolerancyjnie Janina, dzięki czemu Baśka mogła czytać, aż czarna mgła zasnuła oczy. Żeby tylko nie myśleć, co może spotkać ją we śnie; śmiertelnie wykończyć się nudą romansidła, czekając, aż powieki same opadną.

Pieprzona Janina (oceniając na oko, dawno temu pieprzona) chrapała jak mąż Baśki. Od niego Baśka wynosiła się na kanapę w salonie. Na Janinę mogła tylko gwizdać.

Za ósmym gwizdem usnęła. Czarna dziura, na szczęście. Bez snów. Bez NIEJ.

Janina

Na poranną rozgrzewkę oczywiście postanowiła zaspać, tak dobrze jej było w kokonie kołdry. W nocy mięła ją i zwijała w kłąb, miętosiła poduszkę, oswajała tapczan, który do rana stał się już miękki, bezpieczny. Teraz porzucała go z żalem, wracała z każdą sztuką garderoby, wkładała na nim majtki, skarpetki, wreszcie na nim wcisnęła się w dres. Dziś nie czekało jej nic miłego, tylko głód i morderczy wysiłek zadawany mięśniom, ale po to przecież przyjechała w listopadzie nad morze.

Baśki już dawno w pokoju nie było, porzuciła zasłane po hotelowemu łóżko. Plan dnia leżący na stole zdradzał, że wybrała się na poranny rozruch. Janina aż się wzdrygnęła. Siłą się powstrzymała, by znowu nie opaść na tapczan. Trzeba działać. Nie odpuszczać. Tak chciałby Paweł.

Janina

Zeszła z wagi.

Wczasy odchudzające miały reżim zakonny. Zamiast spowiedzi zbiorowej – ważenie; zamiast jutrzni – marszobieg; zamiast mszy porannej – śniadanie z dwustu kilokalorii; zamiast różańca – aqua aerobik; zamiast nieszporów – step, czyli wykańczające ćwiczenia z przenośnym schodkiem.

– Sto osiemnaście kilo i dziewięćdziesiąt dekagramów – triumfalnie zakrzyknęła ważąca i powtórzyła, ze smakiem przełknąwszy ślinę, po czym okrągłymi cyframi wpisała wynik do notesu: 118,9. Widniał tam, dwa razy większy niż inne: 69, 72, 87. Dumne trzy cyfry przed przecinkiem.

Reszta kobiet, już zważonych, zaszumiała, zachichotała, zadrżała, co Janinie uświadomiło, że i tutaj jest parszywym hipopotamem, to słowo padło teraz z jakichś młodych, na oko dwudziestoparoletnich ust. Była gwoździem programu, trzymanym przez ważącą na koniec godziny szczerości, na ogromny deser. Na krzepiące porównanie.

Podniosła głowę. Oczekiwały po niej skruchy? Nic z tego. Ona na każde ze swoich stu osiemnastu kilo solidnie zapracowała dobrym jedzeniem. Nie pierogami z supermarketu, nie ciastami ze spożywczego, nie chipsami ani kupnym majonezem.

Ona gotowała. Celebrowała doprawianie i podprawianie, nie bała się nowych ziół, wlewania win i brandy, fantazyjnych sosów, masła mieszanego z oliwą, a nawet gęsiego smalcu, dzięki któremu wszystko zyskiwało nową jakość. Była dumna ze swojej kuchni, uważała, że ma wyraz i jest nader smaczna, ale Paweł nigdy nie bywał zadowolony.

– Za dużo tłuszczu, za mało witamin. Bo i mnie utuczysz, jak tak dalej pójdzie. I zawału dostanę.

– Nie smakuje ci?

– A czy ja mówię o smaku? Czytałaś kiedyś, choćby w tych swoich babskich gazetkach, o składnikach odżywczych?

Kiedy obiad pyrkotał na ogniu, a ona zmyła już noże, deski, blaty, garnczki, miseczki, lubiła łowić z garnków twardawy makaron, sos, któremu brakowało ostatniej szczypty pieprzu, lekko jeszcze różowe w środku mielone. Nakładała sobie wszystkiego po troszku i jadła na parapecie okiennym, patrząc, czy on nie idzie, i podczytując kobiece gazety. Najbardziej lubiła jadać w białej, emaliowanej miseczce z wytartą kalkomanią w kształcie tulipanka. Mama podarowała ją małej Janinie przed wyjazdem na któryś obóz zuchowy. Janina trochę się wstydziła używać jej przy posiłkach (wszyscy przecież mieli menażki), ale w nocy brała miseczkę do śpiwora, żeby przez chwilę poczuć się bliżej domu.

Potem szybko myła miskę i chowała ją na sam tył szafki, a przy Pawle starała się już jeść malutko.

– Dziobiesz jak ptaszek, co? – pastwił się nad nią. – Jak struś! – puentował triumfalnie, czego nienawidziła, bo dowcip był przynajmniej tak stary jak ich małżeństwo.

A jeśli po obiedzie zerknęła do rondla, rzucał jej pełne nagany spojrzenia.

Jak te dziewczyny tutaj.

Zaraz im przejdzie, tego była pewna. Z dziewczynami zawsze się dogadywała, to z facetami szło jej gorzej.

Janina

Śniadanie. Pierwszy posiłek w świątyni szczupłej figury. Na stole, ozdobione kwiatem z rzodkiewki z listkiem selera naciowego, czekały dwie surówki z przewagą kapusty i cukinii. Bo takie niskokaloryczne? Albo takie tanie. W każdym razie bezsmakowe, a o poranku gwałcące wszelką przyzwoitość.

Poranek powinna rozpoczynać słodka bułeczka i kawa ze śmietanką. Lub nawet z lodami waniliowymi. Albo jajecznica, topiące się na gorących tostach masło, a do trzeciego tosta miód wrzosowy i gorzkawa marmolada pomarańczowa. Wszystko to oczywiście pojawiało się na kuchennym stole, gdy już Janina wyprawiła Pawła do pracy, nakarmiwszy go przedtem owsianką na chudym mleku.

Kucharki rozsadzały nowo przybyłe według niezrozumiałego klucza. Janina w każdym razie wylądowała przy tym samym stole co nerwowa Baśka i cztery inne panie, bo stoły były tu duże, choć jedzenia mało.

– Jasia – przedstawiła się i podała dłoń sąsiadkom. Panie, wyszarzałe bez makijażu, bo jakoś żadna poza Baśką nie zdecydowała się umalować, z włosami zebranymi w kitki, w wyszczuplających optycznie czarnych dresach, zdawały się podobne jak wieloraczki.

Ta dzika Baśka tylko mruknęła coś w stylu: „Mówcie mi Baśka", i pochyliła się nad jedzeniem, jakby wolała nie gadać z nikim. Na Janinę w ogóle nie spojrzała.

Po zimnej podwójnej surówce z warzyw nastąpiły warzywa na ciepło, czyli równie mdła kalarepka faszerowana marchewką. Janina zainteresowała się zestawem przypraw, który stał na środku stołu. Posoliła, choć sól wyglądała na ziołową, czyli mało słoną, posypała tymiankiem, wcisnęła czosnku, ale niewiele to pomogło wygotowanej na parze kalarepce, która rozpadała się pod naciskiem widelca. Nie chciała wybrzydzać, panie naokoło jadły bez entuzjazmu, ale jadły, tylko ona porzuciła kalarepkę przeciętą przez środek, by zabrać się za pomidory, otaczające ją upieczonym wianuszkiem.

– Niezbyt smaczne te pomidory. O tej porze roku jedynie czereśniowe nadają się do jedzenia. – Bez przekonania rozorała widelcem pomidorowoczerwoną podróbkę.

Jedna z dziewczyn (jak jej było? Ania?) wpatrzyła się w nią badawczo. Janina chwilę wytrzymała, ale w końcu odwzajemniła spojrzenie. Bez entuzjazmu. Była bowiem prawie pewna, co zaraz nastąpi.

– Ja cię chyba skądś znam – zastanowiła się Ania.

No i stało się. A przecież Janina na co dzień bez trudu zachowywała anonimowość, bo w telewizyjnych ciuchach, telewizyjnych kosmetykach i telewizyjnej fryzurze zmieniała się nie do poznania. Bez makijażu oczy ginęły w pulchnych bezmiarach twarzy, usta zamieniały się w wąską szparę, a włosy bez doczepek wyglądały naprawdę tak sobie. Granatowy polar, w którym próbowała się schować, też mało przypominał papuzie telewizyjne bluzki. Właściwie można ją było poznać głównie po głosie. Ciepłym, radiowym.

– Uroda też radiowa – lubił kąsać Paweł, gdy jeszcze chciało mu się dowcipkować.

– Niemożliwe! – wykrzyknęła Ania. – Nie możesz być tą panią, która prowadzi *Gotuj z Jasią*. Ale... taką minę zrobiłaś przy pomidorach... jak wtedy, gdy w programie próbujesz czegoś niezbyt smacznego. To ty, prawda? Wyglądasz dużo szczuplej niż w telewizji.

– To ona? – zreflektowała się kolejna współbiesiadniczka. – Tak. O wiele szczuplej wygląda. I młodziej. Ładnie wygląda. Ładnie. – Wpatrzyła się w Janinę, jakby oddzielała je niezbyt czysta szyba.

Janina dosunęła suwak polarowej bluzy, ochronę przed spojrzeniem raczej symboliczną, po czym zerknęła na twarz Baśki i zdecydowała w jednej chwili, że się przyzna. Wszystko, żeby utrwalić ten szok wykrzywiający regularne rysy współlokatorki.

– Miałam nadzieję, że tutaj zachowam incognito – powiedziała i od razu się zawstydziła, tak pretensjonalnie zabrzmiało to zdanie. – Mam przecież urlop – złagodziła.

– Przyjechałaś schudnąć? Nie rób nam tego! Tak miło wreszcie popatrzeć w telewizji na kobietę o normalnych wymiarach.

– Normalnych? – prychnęła Baśka.

Prychnęła? Nie, Janinie się chyba wydawało, bo Baśka właśnie odchodziła od stołu.

I cały triumf na nic.

– Później pogadamy. – Uśmiechnęła się do rozemocjonowanych dziewczyn. Jeszcze się dobrze nie zaczęło, a już była zmęczona. I zaraz odeszła

za Baśką, unosząc ze sobą talerzyk z czterema cząstkami jabłka, wołający o pomstę do nieba deser.

Za drzwiami stołówki przystanęła, by skubnąć
kawałek. Po tych mdławych jarzynach nagle zdał jej
się niebiańsko słodki.

Baśka

Gruba sapała na sedesie, kręciła się, na pewno
trudno będzie tam po niej wejść.

Najintymniejsza rzecz na świecie: wchodzenie po
kimś do ubikacji. Ale przecież i tak musi odczekać.
Baśka bowiem nie mogła tego robić, kiedy gruba
tkwiła w pokoju obok. Z mężem też potrzebowała
czasu, żeby się z tym oswoić. A kiedy już się oswoiła,
nastąpił etap bliźniąt syjamskich. Jesteśmy jednym;
nie brzydzimy się sobą; twój ból brzucha, moje bek-
nięcie. Wyrywam ci włosy z nosa. Podajesz termofor,
gdy miesiączka skręca.

– Z nami chyba koniec – wydusił pewnego dnia.
– Tak będzie lepiej. I dla ciebie, i dla mnie.

Banał. Mogła mu powiedzieć dokładnie to samo,
ale jej się nie chciało.

Wcale się tym nie przejęła. I tak od dawna niewiele mieli ze sobą wspólnego.

Poszła do łazienki, stanęła przed lustrem.
Nad czołem błyszczało coś dziwnego. Nie mogła

uwierzyć, że wyrósł jej pierwszy siwy włos. Wyrwała go pęsetą.

Wyrósł przez niego.

– Co ty tam robisz tak długo! – krzyczał. – Baśka, Baśka!

Co on, myślał, że ona płacze?

Wyszła z łazienki ze spokojną, suchą twarzą. Rozczarowany?

– Zostanę jeszcze dziś z tobą, jutro się wyprowadzę. Baśka.

– Nie ma potrzeby – powiedziała. – Leć choćby zaraz.

Kiedy się pakował, oglądała *Gotowe na wszystko*.

Kiedy wyszedł, poszła spać.

Wtedy po raz pierwszy przyśniła jej się ONA.

Baśka

Następnego dnia zaczęła jeść.

Chroniła się w szarlotce, cienkim schaboszczaku z grubą panierką, po którym zostaje błyszczący ślad tłuszczu na talerzu, w kajzerce z trzema plasterkami szynki, pod nimi gruba warstwa masła. W jajku z majonezem, posypanym papryką. Kurczaku pieczonym, posypanym przyprawą grillową. Żurku z wielką białą kiełbasą. Torcie bezowym z kawowo-żurawinowym kremem.

Czekolady tylko nie jadła, zwyczajowego pożywienia porzuconych kobiet w depresji. Byle bez sztampy.

Baśka

Wczasy odchudzające. Punkt pierwszy męki dnia – marszobieg na plaży. Z kijkami. Przecież nogi stawiała w tym samym tempie co reszta grupy, więc jak to się działo, że tamte tak szybko się odsuwały? Co chwila musiała podbiegać, jak dziecko prowadzone do przedszkola przez długonogiego tatusia. Tak, miała krótkie nogi. Nie, nie bezwzględnie krótkie, tyle że krótsze niż inne dziewczyny, które przyjechały na wczasy odchudzające, o dekadę młodsze i o dziesięć centymetrów z grubsza dłuższe.

Nie była ostatnia. Za nią dyszała Janina, opięta monstrualnym dresem, w butach płetwach i brudnych skarpetkach, która w końcu siadła na jakimś kamieniu.

– Nogi mi wysiadają.

A co się dziwić, Janina nosiła na tych mocarnych kolumnach podwójną dawkę siebie. Nawet kijki niewiele mogły tu pomóc.

Gwiazda telewizyjna. Aż trudno uwierzyć. No dobra, w jakimś niszowym programie o jedzeniu. Każdy kraj ma taką Nigellę, na jaką zasługuje.

21

Widać producenci w końcu nie wytrzymali i kazali jej zrzucić mało telewizyjne nadmiary.

Baśka chwilę stała przy niej, patrząc niechętnie, czy nie powinna jej pomóc, potem ruszyła dalej, z trudem powstrzymując wołanie: „Poczekajcie!". Tężała ze stresu, znowu zostawała z tyłu, kiedy tylko rozproszyła uwagę na wspomnienie Nigelli, a potem na cholerne mewy, łabędzie, psa biegającego po plaży. Potrzebowała skupienia, żeby podążać za tamtymi w ich tempie, mimo wiatru w oczy. Baśka – coraz czerwieńsza, coraz bardziej wysmagana wiatrem, rozgrzana, tylko tyłek zimny, tyłek zawsze jest zimny, cud natury.

Janina majaczyła gdzieś na horyzoncie, czarny punkt nad brzegiem morza. Oj, siedząc i posapując, gwiazda niewiele tłuszczu spali.

Przynajmniej od niej jestem lepsza. Przynajmniej od niej.

Co ja tu robię wśród tych dziewuszek, zastanawiała się Baśka. Przyjechały nie wiadomo po co, skóra napięta, talie cienkie, i od razu do niej: „Proszę pani", co ją uraziło. Przecież powiedziała: „Mówcie do mnie Baśka", ale spojrzały na nią jak na dziwoląga i dalej swoje: „Proszę pani", jeśli w ogóle się do niej odzywają. A do Janiny na ty, zupełnie bez skrępowania.

Stara, stara, stara! Taka Baśka była w ich oczach, nie potrafiła od tego uciec, za wolno chodziła. Marszobiegała.

Janina

Złapała oddech, panika bezdechu powoli mijała.

Nogi też już nie bolały, przyzwyczajone, żeby dźwigać jej sto osiemnaście kilo dziewięćdziesiąt deko, ale przecież nie w takim tempie. Wolałaby iść we własnym, kołysząc się na boki. Żeby kawałek dalej znowu usiąść i pogapić się w morze. Na mewy, które dreptały dookoła w swoich sprawach, nie przejmując się towarzystwem. Ani jego brakiem.

Nie chciała myśleć o tym, jak bardzo Baśka przypomina jej Pawła. Nerwowego, nigdy dość zadowolonego z siebie Pawła. Który lubił dawać żonie do zrozumienia, że ona ma jeszcze mniej powodów do zadowolenia z siebie.

Sam dopinał bez trudu swoje ślubne spodnie, mimo że od pamiętnej chwili minęło trzydzieści lat. Trzymał ślubny garnitur w plastikowym pokrowcu na wieszaku w szafie, dawno niemodny; wkładał go co jakiś czas i oglądał się z przodu, tyłu i boku w lustrze. Czasem wyciągał również jej ślubną sukienkę – atłasową, obcisłą, do kolan, haftowaną w ażurowe serduszka, z dużym dekoltem.

– No, włóż ją, powtórzymy radosną uroczystość – rechotał.

Ona tę suknię mogła wciągnąć najwyżej na łydki.

– Kiedy cię poznałem, ujęło mnie to, że w biuście miałaś więcej niż w biodrach. A teraz wszędzie, łącznie z talią, masz tyle samo. Coraz bardziej tyle samo.

Nie miał racji. Już dawno nie tyła. Znajome piękne kobiety brzydły, starzały się, a ona, która zmatroniała ponad dwadzieścia lat temu, pozostawała ciągle w tym samym wieku.

O kółku grubasek przeczytała w lokalnej gazetce, którą za darmo rozdawano w spożywczym. W parafialnej salce, pustej, odkąd lekcje religii przeniosły się do szkół, spotykała się co tydzień grupa pań z nadwagą. Popijały ziołową herbatę bez cukru, opowiadały o walce z kilogramami, o ukradkowych ciasteczkach i podżeraniu półsurowych kartofli, bo tak trudno doczekać, zanim się dogotują. Doradzały, co robić, kiedy w środku nocy złapie cię nagła żądza kabanosa i kiedy natychmiast musisz kupić rurkę z bitą śmietaną, by zagryźć smutek. Janina, która myślała, że jest najgrubsza i najbardziej łakoma na świecie, spotkała nagle kobiety, które pokpiwały z własnych sterczących na pół metra tyłków, co rok obfitszych.

Na pierwsze spotkanie kółka Janina wymknęła się w tajemnicy, w której trzymała wszystkie swoje diety. Nie chciała, żeby Paweł znowu z niej kpił. Wyszła wcześniej, żeby zdążyć przed nim do domu. Na drugim zagadała się dokumentnie, poczuła babską solidarność, wspólnotę wielkiego stanika i ud ocierających się o siebie w upale do krwi.

Kiedy w końcu z pałającymi policzkami pojawiła się w domu, Paweł zlekceważył ją i zaaplikował ciche godziny. Obiadem oczywiście wzgardził. Dopiero następnego dnia rano, przy owsiance, postanowił wysłuchać, gdzie była. Pokiwał głową.

– Przepisami też się wymieniacie? – Wrócił do gazety, ale już mniej gniewnie. Jeszcze podniósł wzrok: – Cieszę się, że nareszcie znalazłaś sobie jakieś ciekawe kółko zainteresowań.

Milczała ze wzrokiem utkwionym w słoiczku z miodem cynamonowym. Zanurzy w nim łyżkę, gdy Paweł wyjdzie wreszcie do pracy.

Janina

Rezerwując pokój na wczasach odchudzających, wyraźnie zaznaczyła, że jako współlokatorkę chce kobietę w okolicach czterdziestki. Nie była pewna, czy umiałaby zgodnie mieszkać z dwudziestolatką. Ale teraz żałowała, bo przy Baśce nie sposób się rozluźnić.

Mimo zbieżnego chyba wieku (chyba, ponieważ wiek Baśki był trudny do określenia, gładka twarz, gładkie ciało, gładkie grudki niechętnie wypluwanych słów niewiele zdradzały z rozmiaru jej życiowych doświadczeń), od przyjazdu zamieniły ledwie kilka zdań. Baśka, w odróżnieniu od Janiny, zaliczała wszystkie zajęcia sportowe, i te obowiązkowe, i te dodatkowo płatne, więc do pokoju wpadała tylko, żeby się przebrać i odświeżyć. A wieczorami chowała się za książkami lub oddawała się tajemniczym czynnościom w łazience, po których pachniało chemią kosmetyczną na cały pokój.

Podczas posiłków zachowywała milczenie, nie patrzyła na sąsiadki, nawet gdy Janina gawędziła z dziewczynami. Janina czuła się wówczas, jakby ktoś podejrzliwy przymocował podsłuch pod stołem. Ale co tam, miała wprawę, tyle lat z Pawłem nauczyło ją obojętności na przejawy zarówno jawnej, jak i maskowanej dezaprobaty. Starała się mimo wszystko, żeby było normalnie. Zagajała na przykład, czy zauważyły, że we wszystkich książkach o grubych obowiązują dwa schematy. W pierwszym bohaterka chudnie i znajduje faceta, po czym żyją długo i szczęśliwie, niezagrożeni efektem jojo. W drugim co prawda nie chudnie, ale akceptuje swój wygląd, docenia swoje atuty, na przykład piękne oczy i włosy, znajduje faceta, z którym żyją długo i szczęśliwie, a on zachwala jej wspaniałą kuchnię.

– Wolałabym pierwszą opcję – śmiała się Magda, dziewczyna młoda i wesoła, o niedużym biuście, ale za to monstrualnych pośladkach. – Po to się tu przecież katuję.

– A ja zastanawiam się nad tym facetem. Że pojawia się w obu opcjach – wątpiła Janina.

– Jako potwierdzenie wyboru bohaterki – kiwała głową Ania. – Przecież gdyby została sama, znaczyłoby, że przegrała.

I wszystkie wpatrywały się w dwóch Niemców siedzących przy sąsiednim stole. Jeden całkiem pokaźny, drugi szczupły i żylasty.

– Geje, na sto procent. Heterycy się nie odchudzają – wzdychała Magda.

Wtedy nadchodził czas, by Baśka spojrzała na nie z pogardą, mruknęła „dziękuję" i wyszła z jadalni.

– A tę co ugryzło? – troszczyła się któraś. – Jak ty sobie z nią radzisz w pokoju, Jasia?

– Jakoś – ucinała Janina, która nie cierpiała się żalić.

Ale rzeczywiście nie tego oczekiwała po współlokatorce. Nie mogłyby sobie razem posiedzieć, zaparzyć herbaty, pogadać? Od razu by się w tym zimnym pokoju milej zrobiło. Zaprzyjaźniłyby się, dopuszczały coraz bliżej do swoich tajemnic, aż w końcu mogłaby opowiedzieć Baśce o Pawle, poszukać wybaczenia. Chyba że i tamta by ją potępiła.

Pewnie lepiej byłoby pójść do spowiedzi. Puk, puk w konfesjonał i po wyrzutach sumienia. Niektórym to wystarczało. Ale jej trudno byłoby się zwierzać obcemu mężczyźnie oddzielonemu od niej drewnianą kratką. Dziewczyny przy stole pewnie chętnie by posłuchały, ale jej wina, jej zdrada nie nadawała się na stołówkowe gadki.

Zagłuszała myśli cholerną telewizją, serialami, które włączała, żeby w pokoju przynajmniej coś gadało, coś żyło, ale tam też w kółko: zdrada, romans, trójkąt, wina, wyrzuty sumienia.

I żadnych sposobów rozwiązania.

Janina

Najgorzej, że nie tęskniła za mężem. Życie bez niego było o wiele prostsze. Nawet jeśli chwilami brakowało jej adrenaliny, która powstawała po zetknięciu Pawła z kaloriami i blaszaną miską.

Łatwiej było sobie wszystko poukładać bez niego. Nawet chyba jadła mniej, jeśli można to nazwać zaletą nowego życia, bo gotować jej się nie chciało. A ponieważ programy kręcono seriami, więc potem miała parę dni wolnego, siedziała w domu, sama, sama, sama. Bywały dni, że nie odzywała się w ogóle do nikogo.

Trudno bowiem zaliczyć pisanie na Facebooku do pogawędek.

Chyba że akurat było spotkanie kółka grubasek.

Albo odezwał się syn z zagranicy.

Lub też zadzwonił jakiś dziennikarz z prośbą o wywiad i pokazanie domu. Czasem chciał, żeby opowiedziała o potrawach wigilijnych, poglądach na diety albo sposobach na samoakceptację. Tyle że z dziennikarzami gadać jej się nie chciało. Stacja nalegała, więc czasem wygłosiła jakiś banał, rzuciła przepisem, poprosiła, żeby wzięli jej zdjęcia z agencji. Ale wszystko coraz mniej chętnie.

Uciekła tutaj. Nie przed telefonami od dziennikarzy, tylko przed samą sobą.

Baśka

Leżała na łóżku i marzyła o sałatce z kurczakiem i majonezem. Janina oglądała *M jak miłość*, ciamkając do upadłego. Sądząc po woni – gumę truskawkową.

Zęby Baśki marzyły, żeby się w czymś zanurzyć, więc też wyciągnęła bezcukrową gumę do żucia i wbiła w nią zęby, żuła jeden listek po drugim, wypluwając je w chusteczkę, gdy traciły smak, jednak nic to na żądzę kurczaka nie pomogło.

Poszła do łazienki, żeby się zmotywować oglądaniem swojego paskudnego brzucha w całej okazałości. Wzięła w dwa palce skórę i patrzyła, jak nierówno układa się tłuszcz pod skórą. Pstryknęła w ten kałdun, żeby zobaczyć jego nieapetyczne podrygi. To powinno ją odstręczyć od kurczaka, a zwłaszcza od majonezu.

Odkręciła prysznic, odkręciła słoiczki i dalejże pilingować, masować jak szalona szorstką rękawicą, potem szczotką z wypustkami, ręcznikiem, kremem, do piersi i brzucha – ujędrniający, do ud i tyłka – odchudzający, do łydek i ramion – nawilżający.

Jej obolałe mięśnie coraz głośniej wołały: „Spać!".

Brzuch chciał jeść.

Telewizor buczał.

Janina spała. W ubraniu.

Wstrzymując oddech, Baśka nakryła ją kocem. Bała się wyłączać telewizor, jej mąż zawsze się wtedy budził. Więc tylko ściszyła i wczołgała się pod swoją zimną, ciężką kołdrę. Kurczak wędrował gdzieś po marginesach jej świadomości, panoszył się i pachniał. Nie wypędzała go, niech wypełni wszystkie jej sny, jak najszczelniej, byle nie wdarła się tam ONA.

Baśka

Powoli wchodziła w sen, ostrożnie, krok za krokiem. Pojawiało się poranne światło, zapach zgnilizny przebijający spod perfum, gwar, krzyki przewodników, muzyka z kawiarni. *Volare*? Zrozumiała, gdzie trafiła: Wenecja, plac Świętego Marka, wiosna. Porę roku poznawała po świetle, w Wenecji było tak mało zieleni, że trudno wnioskować po pączkach na drzewach.

ONA lubiła sny o Włoszech.

Baśka stała plecami do placu, udając, że jej nie ma. Że chudnie, roztapia się w szarości, znika w rozedrganym powietrzu. Że spływa w dół, w kałużę, odbija się w niej słońce, paruje, znika. Uciekałaby, ale jeszcze nie wiedziała, w którą stronę i przed czym, bo JEJ nie było.

Ale nie pozwalała sobie jeszcze na ulgę, czujna jak powstańcza łączniczka na linii snajpera.

Słusznie, bo nagle poczuła JEJ wzrok. Na plecach, na lewym ramieniu. Baśka się nie obejrzała. Nie musiała. Bała się, co oznaczało, że upiór przyszedł.

Czmychnęła w jedną z wąskich uliczek, wbiegła w jeszcze węższą, uff!, oparła zgrzane czoło o chłodną ścianę i… usłyszała spokojny stukot obcasów, szpilek chyba, metaliczny, coraz bliżej i bliżej. ONA szła za nią.

Baśka nie czekała, aż dźwięk przewierci jej duszę, oderwała czoło od ściany, teraz czuła, że mur nasiąkł wilgocią, jak wszystko w Wenecji, i nie odwracając się, nie patrząc w stronę upiora, ruszyła w panice przed siebie. Znowu zaplątała się w wąskie uliczki, coraz węższe, niektóre ślepe, zakończone kanałami, chciała wrócić na plac, żeby nie być sam na sam z upiorem, ale zabłądziła. Coraz bardziej rozgorączkowana, przerażona, biegła coraz szybciej, ale spokojny stukot obcasów wcale nie przyspieszał. Szpilki ciągle wybijały ten sam uporczywy, monotonny rytm, w stałej odległości za jej plecami.

Ile mogło dzielić je metrów? Tyle samo, co w poprzednich snach, zawsze tyle samo. Z pięć może.

Co można ofierze zrobić z odległości pięciu metrów? Uderzyć – nie. Ani dotknąć, tego się Baśka bała najbardziej. Dotyku JEJ ręki. Strzelić w plecy można z broni palnej, i bez przerwy, bez ustanku wbijać spojrzenie w tył głowy Baśki, aż swędziało.

Nagle – cisza. Tamta przystanęła? Baśka bała się odwrócić, żeby sprawdzić, wolała iść, szybko, dalej. Już nie czuła nikogo za plecami. Już jej nie było.

Baśka pobiegła, ale to był już inny bieg niż przed chwilą – wyzwolony, lekki.

Upiór nie nawiedzał jej co wieczór. Pojawiał się raz na jakiś czas, niekiedy seriami, czasem tylko wybranej nocy. I znowu dawał parę tygodni spokoju. Od czego zależały jego wizyty? Ani od księżyca, ani od porywów halnego, ani od cyklu miesiączkowego. Na początku Baśka zapisywała częstotliwość snów z NIĄ. Badała zależności. Może zjadła coś ciężkiego? Obejrzała zły film? Przeczytała głupią książkę? Za mało gimnastyki? Za dużo wysiłku? Kłótnia z matką? Wyrywanie brwi? Poszła głodna spać?

Co za bzdura, przecież zawsze chodziła głodna spać.

Nie, nie znajdowała prawidłowości. Wyglądało na to, że ONA przychodzi, kiedy chce. A potem nie odwiedzała jej miesiącami i wtedy Baśka myślała, że zyskała równowagę, że i własny demon ją opuścił. Jej upiór.

Baśka

Wstała, otworzyła butelkę mineralnej. Syk uchodzącego gazu obudził Janinę.

– Koszmary?

Wymijający uśmiech, jeszcze bardziej niewyraźny po ciemku.

– Dasz mi łyka?

– Ale to gazowana.

Niestety Janina nawet wolała gazowaną. Wraziła szyjkę w swoje mokre, zapewne pachnące snem usta, w których grasowały jej tylko właściwe bakterie.

– Zatrzymaj ją sobie, mnie już się nie chce pić – powiedziała Baśka.

– Opowiesz, co ci się śniło? Wtedy ci ulży.

Baśka jednak nie miała zamiaru dzielić się z nią niczym poza wodą. A i tym niechętnie.

Janina chrząknęła zachęcająco, ale Baśka zamknęła oczy.

I znowu otworzyła. Bała się zasnąć.

Niespanie jednak wcale nie było bezpieczniejsze, bo tabunami nadciągały uwierające myśli.

Myślała, że odczuje ulgę, gdy Michał wreszcie się wyprowadzi, a ona zacznie żyć tak, jak chce. Przecież już jej nie zależało; nużył ją ich bezpłodny, osobny związek.

Ale kiedy jej mąż wyszedł z domu z walizkami, zeszło z niej powietrze. Opadła na łóżko i leżała, nie rozścieliwszy go aż do rana, kiedy budzik zadzwonił jak zwykle, a ona usiadła, czekając na kawę, którą zawsze podawał jej Michał. Czekając, aż utuli ją ze złego snu o kobiecie w szpilkach.

Dopiero po chwili przypomniała sobie, że utulenia nie będzie, kawy się nie doczeka, więc wstała, wsunęła stopy w kapcie (ohydne, z różowego futerka, Michał kupił jej na ostatnie mikołajki) i poszła do kuchni włączyć wodę.

Zabrał musztardę z lodówki, wiedział, że ona jej nigdy nie używa. Nie zapomniał też o swoim ulubionym kubku z papugą. Teraz pewnie pije z niego kawę. Gdzieś daleko. Ma przy sobie wszystko, co lubi.

Postanowiła wrócić do łóżka i tam poczekać, aż woda się zagotuje.

Zwinęła się jak embrion, nadal z różowymi kapciami na stopach. Połówka, którą zawsze zajmował Michał, była pusta. Poduszka pachniała jego włosami. Wtuliła nos w jasiek tak mocno, że powietrze szybko się skończyło. Trwała, nie oddychając, aż instynkt kazał jej zaczerpnąć powietrza. A potem wpatrzyła się w okno, gdzie na tle nieba jaśniała wiosenna zieleń, a liście wydobywały się z pączków, rozprostowywały i rosły.

Bo tym charakteryzuje się maj.

Została porzucona pół roku po rocznicy ślubu, jedenaście lat po ślubie, dwanaście od czasu, gdy stała się inną kobietą.

Nie spytała Michała, dlaczego odchodzi. W ogóle z nim nie gadała.

Czuła się winna.

Miał kogoś? Przecież chybaby zauważyła.

Wpatrywała się w liście.

Co jakiś czas dzwoniły telefony, komórka i stacjonarny, na zmianę. Potem komórka zamilkła, pewnie wyładowana. Nadal za to brzęczał ten drugi. Może nawet dobijał się do niej Michał. Ale nie chciała z nim rozmawiać, bo bała się odpowiedzi na pytanie: dlaczego. Wolała wtopić się w poduszkę i zniknąć. Już jej się prawie udało. Byle tylko nie zasnąć, żeby nie usłyszeć znienawidzonego stukotu szpilek.

Janina

Budzik zapikał, więc przeciągnęła się w ciepłym łóżku, w wygniecionym gnieździe, zrzuciła skarpetki z rozgrzanych stóp. W miarę jak stopy stawały się chłodne, rozbudzała się coraz bardziej. Wreszcie wstała. Tu, na wczasach odchudzających, miała takie zakwasy, że robiła to sposobem: przewracała się na brzuch i dopiero – tyłek do góry – dźwigała się z łóżka. Mięśnie pupy, też obolałe, okazały się mniej wrażliwe na ból niż mięśnie brzucha. Osierocała swoje gniazdo, hotelowe prześcieradła, wygładzone przez sprzątaczkę w zielonym nylonowym fartuchu.

Żeby Paweł mógł ją teraz widzieć: gdy ćwiczy, gdy głuszy głód gumą bez cukru, gdy człapie z kijkami, gdy walczy o szczuplejsze ciało. Pewnie by się ucieszył.

Albo i nie.

Co ona właściwie o nim wiedziała? Niewiele rzeczy robili razem. Nic właściwie, poza cotygodniowym rytuałem, czyli regularnym oglądaniem jego audycji medycznych. Paweł siadał w rogu kanapy, zdenerwowany i podniecony, jak zawsze, gdy patrzył na siebie na ekranie. Janina wciskała się w drugi róg, zszokowana, że z przystojniakiem z telewizji może jadać śniadania i kolacje. Do dziś pamiętała też program, który dokonał przełomu w jej życiu. Nie, tak naprawdę w życiu ich obojga, bo jeszcze wtedy nie rozumiała, jak bardzo zrośnięci są ze sobą.

Tamtego dnia nagle przestała popatrywać na męża obok, a skupiła się na mężu w telewizji, Paweł na ekranie pokazywał bowiem coś, co bardzo ją zainteresowało: animację z łzawiącym okiem.

Łzawiące oko miała Teresa z kółka grubasów. Kiedy Janina zobaczyła ją po raz pierwszy, pomyślała, że tamta wzruszyła się jej opowiadaniem o ślubnych spodniach i ślubnej kiecce. Ale szybko zauważyła, że Teresa roni łzy przy każdej opowieści, a nawet w kompletnej ciszy. Łzy kapały zawsze z prawego oka, więc Janina próbowała siadać tak, żeby widzieć prawą stronę Teresy i dyskretnie obserwować regularnie wilgotniejące rzęsy. Fascynował ją czerwony kącik powieki, ślad od łez na policzku, zesztywniała chusteczka do nosa. Wreszcie któregoś czwartku Teresa nie wytrzymała:

– Nie przyglądaj się tak badawczo, mnie to strasznie krępuje.

Janina przeprosiła, od tamtej pory starała się Teresę omijać wzrokiem, ale regularność produkcji łez przykuwała jej uwagę, trudno jej było oderwać spojrzenie od różowego rowu, wypełnianego systematycznie słoną wodą.

– Słuchaj, to się da zoperować. Zabieg jest bezpieczny, choć nieprzyjemny. Łzawienie mija bez śladu – wytłumaczyła na spotkaniu kółka, parę dni po audycji. – Wybacz, że się wtrącam, ale mój mąż jest lekarzem – wyjaśniła.

Wszystkie się zainteresowały.

– Dlaczego od razu się nie pochwaliłaś? Jaka specjalność?

Teresa poprosiła ją na bok: – Mogłabyś się czegoś bliżej dowiedzieć? I umówić mnie z nim na wizytę?

– Paweł nie praktykuje – odparła Janina. – Pracuje na uczelni – między innymi, ale chyba nie musiała zdradzać wszystkiego od razu. – Ale dowiem się. Przynajmniej spróbuję – dodała uczciwie.

Postanowiła zagadać tuż po kolejnej emisji. Przeczekała więc jeszcze tydzień, by uderzyć w momencie, gdy mąż stawał się najbardziej bezbronny.

Paweł ekranowy uśmiechał się, patrzył empatycznie w oczy widzów. Przy wygłaszaniu mocniejszych zdań przekrzywiał głowę, jakby chciał złagodzić co ostrzejsze sądy. Gdy program się skończył, siedział jeszcze napięty, podniecony jak zawsze, z potelewizyjnym rumieńcem na twarzy. Wiedziała, że teraz będzie rozmawiać, żeby rozładować emocje. Z kimkolwiek, nawet z nią. Więc się odważyła:

– Świetny program. Naprawdę dobrze wypadłeś. Jeszcze lepiej niż tydzień temu. Wspominałeś wtedy o łzawieniu oka – zaczęła drżącym głosem.

– Tak? – Zwrócił na nią zadowoloną twarz, która ciągle jeszcze przypominała tamtą telewizyjną.

Czuła się, jakby siedziała w salonie z jakimś celebrytą. Onieśmielał ją. Przełknęła ślinę.

– Mówiłeś, że można zrobić operację, która usuwa łzawienie.

– Aha, chodzi ci o dacryocystorhinostomię – domyślił się. – Masz z tym problem? – Wpatrzył się w jej twarz jak w ciało na stole sekcyjnym.

– Nie, to nie mój problem. Moja koleżanka…

– Masz jakieś koleżanki?

– No, z naszego kółka.

– Jedna z tych grubasek?

Boże, jak to degradowało je wszystkie.

– Łzy jej kapią co chwila. Aż na policzku zrobiło się…

– Prawdopodobnie cierpi na niedrożność kanalika łzowego i gdyby była świadoma na tyle, żeby iść do lekarza, już dawno by jej zrobili dacryocystorhinostomię. Łzy odpływają z oczu do nosa przez kanaliki łzowe i woreczki łzowe. Przy zapaleniu woreczka łzowego dochodzi do zarastania kanalików, łzy nie mogą odpływać, więc kapią z oka. W takim przypadku chirurg okulista przecina woreczek łzowy, zeszywa jego ściankę z błoną śluzową nosa, wiercąc otwór w kości łzowej, na której leży woreczek.

Przemawiał donośnie, z ważną miną, jakby nagle włączyła kamerę.

– To bardzo boli?

– Na pewno. Jeśli ktoś odmówi znieczulenia.

– Zostaje blizna?

– Nie jestem okulistą ani tym bardziej chirurgiem plastycznym. Pewnie jakaś zostaje. Dlaczego ona nie pójdzie do okulisty?

– A mógłbyś kogoś polecić?

– Nie sądzę.

Następnego dnia Janina przysunęła sobie drabinkę do regału z literaturą medyczną. Nigdy tam nie zaglądała, ale przecież nie mogła powiedzieć Teresie, że jej mąż za szybko stracił ochotę do rozmowy. Drabina trochę się chwiała i skrzypiała pod jej dużym ciałem, więc Janina musiała jedną ręką przytrzymywać się regału. Jest. *Okulistyka*. Z ulgą zeszła na dół. Jak to się nazywało? Dakrio… Znalazła. Ani słowa o bliźnie.

Autorem był Jerzy Żmigrodzki, profesor w klinice łódzkiej. W internecie wyszukała numer do szpitala.

– Kto mówi? – spytała sekretarka.

– Janina Rydel. – Sekretarka sapała nieżyczliwie.

– Żona profesora Pawła Rydla.

Sekretarka spłynęła słodyczą.

– Już proszę, niech pani chwilę zaczeka.

A potem:

– Czego sobie życzy żona kolegi?

Wyjaśnił jej, o co prosiła, prostym i przystępnym językiem, polecił kolegę, chirurga okulistę w Warszawie, kazał pozdrowić męża.

Sama się zdziwiła, jaka jest skuteczna. Teresa na kolejnym spotkaniu była nieobecna, a na następnym już nie łzawiła. Janina została medyczną gwiazdą kółka. Kłopoty ciążowe córki Bożeny. Trzymiesięczny wnuczek Asi nie wypróżnia się od sześciu dni. Jak pielęgnować odleżyny teściowej (przeczytała w fachowym piśmie Pawła o nowym materacu przeciwodleżynowym). Żylaki Iwony. Po pierwsze informacje sięgała do *Oksfordzkiego słownika medycznego*, pogłębiała wiedzę w książkach z regału męża, coraz śmielej konsultowała się z googlem, sprawdzając internetowe diagnozy, wydzwaniała do profesorów, a na koniec pytała Pawła, kiedy siedział podniecony, obejrzawszy siebie w telewizji. I co? Na ogół potwierdzał jej diagnozy.

Nareszcie czuła się potrzebna.

Baśka

Wlokła się udawanym marszobiegiem z tyłu kolumny, policzki jej pękały od nadmiaru krwi. Trenerka podbiegała do niej co jakiś czas.

– Dobrze się pani czuje? Wszyscy panią podziwiamy, proszę tak trzymać.

Baśka bała się spytać, za co ją podziwiają. Czy to aż tak widać, że nie nadąża? Czy te młódki, tamci dwaj geje z Niemiec, wszyscy ją obmawiają, tam z przodu? Baśce łzy napływały do oczu, podbiegała. Cała była nadążaniem. Da radę. Musi. Nie odpuści.

Po obiedzie (zielona zupa i jakaś papranina z warzyw, którą ktoś złośliwy nazwał w menu marchewkowym spaghetti) zaordynowała sobie spacer dookoła ośrodka, żeby tylko nie wracać do pokoju, w którym Janina upozowana na leniwą odaliskę zapewne oglądała seriale. A potem już trzeba było biec do sali gimnastycznej, gdzie Baśka podskakiwała najwyżej, najmocniej, energiczniej nawet niż sama trenerka, która prowadziła aerobik.

No i poza rytmem, jak zwykle.

Ćwiczyła jak szalona, pot zalewał jej oczy, mięśnie zginały się i prostowały, ciągle sprawne, tylko piersi nie słuchały, ruszały się we własnym tempie, najwyraźniej za słabo ściśnięte stanikiem. To bolało. Niech boli.

Po kolacji (denerwowało ją, że i na wczasach odchudzających rytm wyznaczają pory posiłków) padła w gabinecie kosmetycznym i zaordynowała sobie zabieg guam, czyli okładania glonami. Obnażyła się bezwstydnie przed kosmetyczką, która od kostek u nóg do szyi wysmarowała ją szlamem śmierdzącym rybą. Baśka zamknęła oczy, żeby nie patrzeć na obrzydzenie, z którym młoda kosmetyczka dotykała jej obwisłej ostatnio skóry. Kosmetyczka owinęła Baśkę w folię – jak kurczaka po upieczeniu, jak kanapkę z majonezem, jak ciastko czekoladowe na wynos – przykryła ją kocem elektrycznym i kazała się relaksować.

Szlam palił, ciało szczypało niemiłosiernie, ale to dobrze. Czuć, że wypala znaki czasu. Baśka powstrzymywała wymioty, smród zdechłej ryby nie pozwalał jej się relaksować. To prymat ducha nad ciałem, tłumaczyła sobie. Szczypie, czyli działa, śmierdzi, czyli jest skuteczny, bo skoro miliony kobiet znoszą taki smród, to znaczy, że ma dużo sensu. Uroda rodzi się w morzu, wśród ryb, jak Afrodyta z morskiej piany, pulchna i cellulityczna.

Ale Baśka wiedziała, że te sześćdziesiąt minut to nie koniec jej mąk. Bo efekty miały się pojawić dopiero po dziesięciu zabiegach, dziesięciu godzinach w odorze zdechłej ryby, dziesięciu godzinach szlamowatego czyśćca, by osiągnąć niebo. Niebo zaś to gładka skóra, bez pofałdowanego brzucha, bez kalafiorów cellulitu. Jak ze zdjęcia w piśmie dla pań.

Jak u mamy. No, prawie.

Baśka

Bo mama miała brzuch.

Przy swojej szczupłej figurze miała wystający brzuch skrzętnie skrywany pod odpowiednimi strojami.

Dobrze skrojone spódnice. Sukienki ze sprytnym zamotaniem w talii. Majtki obciskające. A nad morzem mama zakrywała się jednoczęściowym kostiumem. I ręcznikiem, bo wtedy plaże Bałtyku jeszcze nie znały pareo.

Mama narzekała, zwłaszcza gdy robiło się cieplej i trzeba było powrócić do wiosennych ciuchów. Mierzyła jeden po drugim i w każdym szła przed lustro, gdzie przeginała się i obracała, po czym wydawała niechętne prychnięcia i szczypała brzuch, jakby od tego mógł zniknąć.

Wcale nie znikał, miły, miękki, ciepły. Z tego smutku mama parzyła sobie kolejną herbatę.

Mama, ciastko, herbata. Rytuał, który Baśka pamiętała z dzieciństwa. Kęs ciastka, zatrzymany w ustach, łyk płynu, wciągnięty przez mamę z lekkim siorbnięciem. Język masujący podniebienie, mieszający kawałki ciasta z brązową cieczą, pachnącą dłońmi Chinek, zrywających za głodowe stawki herbaciane liście.

Ciastka odkładały się na brzuchu, nie gdzie indziej, tylko właśnie tam. Ciastka z maminej cukierni, wiecznie obecne u nich w domu. Na talerzach, w rozmowach.

Ciastka były stałą w życiu mamy, choć wszystko dookoła się zmieniało. Ciastka w pracy, ciastka w domu. Ciastka – by zarobić, ciastka – by się zrelaksować. Ciastka – żeby jeść, ciastka – żeby umieć sobie odmawiać. Ciastka zapewniały im chleb w głodnych latach osiemdziesiątych, rozpasanych dziewięćdziesiątych i podczas rozchwianych początków dwudziestego pierwszego stulecia.

W latach osiemdziesiątych mama dokonywała cudów, by zdobyć surowce do wypieków, a klienci szczęśliwie się nie czepiali. Margaryna czy masło, cukier czy syrop słodowy, czekolada czy kuwertura, brali jak leci, ważne, że słodkie. W latach dziewięćdziesiątych, które wypełniły sklepy nieznanymi wcześniej w Polsce smakami, klienci zaczęli wybrzydzać, przebierać, porównywać. Mama się nie poddawała, bo ona nigdy się nie poddawała; zamówiła kolorowy szyld z logo jednego z napojów chłodzących, wstawiła do środka lodówkę z ich gazowanymi wyrobami, tylko witrynę z ciastkami musiała lekko przesunąć. Ze składnikami nie było problemu, oblewała wypieki barwnym lukrem, obsypywała metalicznymi ozdobami sprowadzanymi z Niemiec, miało być kolorowo, równie atrakcyjnie co na regałach z batonami i czekoladami w supermarketach; ją samą bawił ogrom nowych możliwości, które oferowała nagle dostępna chemia spożywcza.

Surowce do wypieków stały się co prawda łatwo osiągalne, mama jednak zawsze znalazła powód, by nie spać w nocy. Bo nagle pojawił się strach, że wrócą właściciele solidnie nadszarpniętej zębem czasu kamienicy z lat dwudziestych, w której na parterze mama prowadziła cukiernię. Szczęśliwie jednak nikt na razie o budynek się nie upominał. Lokatorzy z nadzieją, że właściciel się nie znajdzie, zrobili nawet zrzutkę na domofon, żeby ochronić bramę przed miejscowymi obszczymurkami, autorami setek zacieków na tynkach po obu stronach przejścia. Mimo domofonu jednak komuś udało się zerwać ze ścian bramy resztki kafelków w stylu art déco, które przetrwały i wojnę, i powstanie w getcie, i powstanie warszawskie, i czasy komunizmu. Pewnie ozdobiły willę jakiegoś konesera.

Baśka, mama i babcia mieszkały parę kroków od cukierni, przy Grzybowskiej, szerokiej ulicy, gdzie wielkie szafy piętnastopiętrowych bloków przerastała zieleń, rozdzielana popękanym asfaltem i powyginanymi drabinkami na placykach zabaw dla dzieci. Na rozległych parterach budynków projektanci przewidzieli utopijne świetlice, w których mieszkańcy, opuściwszy swoje mieszkania wielkości szuflad, mieli się integrować i urządzać rodzinne uroczystości. Nie wyszło. Kręciły się tam tylko starsze panie, które chwilowo nie zmieściły się w kolejce w przychodni, i w obłokach naftaliny czyhały przy skrzynkach pocztowych, żeby dopaść kogoś, do kogo będzie można zagadać. Z czasem starsze panie trafiły do innych szuflad, na wieczność, a bloki, cenne i niezwykłe, bo w samym centrum miasta, a z takimi małymi, więc relatywnie tanimi mieszkaniami, wypełniły się młodymi osobami szukającymi szansy w stolicy i skośnookimi kupcami z bazaru na stadionie. Dzieci o azjatyckich rysach zostały prymusami w okolicznych szkołach, a po lekcjach grały w piłkę na podwórkach, wykrzykując „kurwa twoja mać" bez śladu obcego akcentu.

Dzielnica stawała się modna, popękany asfalt zastępowała kostka Bauma, po której źle się jeździło na rolkach, a zamiast mleczy na trawnikach wyrastały biurowce i apartamentowce. Przestronną przestrzeń wspólną na parterach w blokach z szufladami zajmowała mniejsza i większa przedsiębiorczość, przychodnie, restauracje, sklepiki i siłownie. Mama wahała się, czy nie przenieść tu swojego biznesu, ale że kamienicę z cukiernią odremontowano, a o właścicielu nadal nie było słychać, postanowiła jednak zostać w prestiżowych murach sprzed osiemdziesięciu lat.

Na przełomie wieków mama wyrzuciła z szyldu logo korporacji od napojów, ze środka ich lodówkę, z lukru syntetyczne kolory. Zamówiła witrynę stylizowaną na przedwojenną, dzięki czemu na froncie pojawiło się hasło: „Pieczemy tylko na prawdziwym maśle!". Dwa lata temu, nad zapewnieniem o maśle, wyrósł szyld: „Cukiernia pod Ciastkiem z Dziurką", a do środka wkroczyły donaty i muffiny. Drożdżówki nadal leżały na szklanych półkach, znacznie jednak odchudzone: mniej ciasta, więcej owoców, no i prawdziwa wanilia. Mama, wciągając brzuch, szła z duchem czasu pod rękę.

Baśka była z niej dumna. Starsza pani, a chwilami wydawała się młodsza nawet od niej. Mama energiczna. Mama szczupła. Mama dobra. Mama zadbana. Mama-nigdy-tak-wysoko-nie-doskoczysz.

– Mam nadzieję, że ty taka gruba nie będziesz – rzucała spojrzenie małej Baśce, odwracając się od lustra. Po czym zmuszała córkę, by zjadła obiad do końca.

A Baśka marzyła, żeby przytulić się do brzucha mamy. Jej miękkiego ciała.

Nie wolno było.

Dotykać ani patrzeć.

W domu ani na dworze. W łazience ani na plaży. Nigdzie.

Baśka nigdy nie widziała nagiego brzucha swojej matki. No, od środka, w swoim czasie. A potem, kiedy próbowała dotknąć maminego brzucha, dobrej, miękkiej poduchy z rzadka widocznej spod obcisłej bluzki, mama w popłochu odpychała jej rękę.

Baśka do dziś pamiętała te ukradkowe dotknięcia, które nie syciły.

Własny brzuch jeszcze niedawno był jej chlubą: płaski, brązowy, kiedy leżała, niemal wklęsły, z delikatną rzeźbą mięśni, nie musiała się bawić w majtki obciskające, mięśnie wystarczająco trzymały ją w ryzach. Dopiero ostatnio zaczynał w dotyku przypominać brzuch matki.

Cholerne ciastka.

Zakryć? Nie, to oznaczało kapitulację. Zaniknąć, zaćwiczyć, zakatować, niech wraca do płaskiej przeszłości.

No i na koniec wypalić pastą z alg. Musi szczypać.

Baśka

Jeszcze zrobiła osiemdziesiąt przysiadów przy drabinkach, jeszcze pobiegała na bieżni, jeszcze przeszła się dookoła ośrodka, szurając zbutwiałymi liśćmi, ale w końcu musiała wrócić do pokoju, bo też robiło się coraz zimniej. Janina, półleżąc w kajaku swojego łóżka, oglądała kolejny serial. Bohaterowie grzmieli na cały pokój, nie było gdzie się schować przed ich problemami. Na hotelowym korytarzu zresztą też grzmieli, wszyscy przecież, przy ograniczonej ofercie wczasowych kanałów, oglądali to samo.

Janina wzdychała i wierciła się, aż łoże skrzypiało.

Nie, Baśka tu nie wytrzyma. Musi wyjść.

Jedna z niewielu otwartych knajp w tym zabitym dechami o tej porze roku miasteczku miała menu długie jak *Pan Tadeusz*, co świadczyło o tym, że trzymają wszystko w zamrażarce, gotowe od wieków, i że hojnie używają mikrofalówki. Filet z ryby maślanej, sznycel cielęcy, de volaille… Zakazane, jeśli się ktoś odchudza, bo panierka na mięsie chłonie tłuszcz jak gąbka. Jednak wbrew rozsądkowi żądza Baśki wzrastała; chciała posiąść delikatne ciało morszczuka, przesiąknięte smakiem morza, i swojskiego kurczaka z roztopionym masłem w pustym brzuchu, wsiąkającym w jędrne mięśnie. I kawałki panierki na talerzu, które można łowić widelcem i wgniatać w kartofle.

Usiadła w knajpce. Dwa plusy tego miejsca: nie ma tu wieloryba Janiny, nie słychać rodziny Mostowiaków. Koniec listy zalet. Zaraz poprosi o herbatę i pomarzy o smażonej kurze. Smażonym czymkolwiek.

Pomyślała, że nie wytrzyma, że teraz, natychmiast musi zjeść coś tłustego, zakazanego, dającego pociechę i oparcie. I wszystko jedno, czy przytyje. Mąż ją rzucił, jakie znaczenie przy tym wszystkim mają szczupłe uda.

Gdy podeszła kelnerka, Baśka, sama nie wierząc, że to robi, zamówiła de volaille'a. Wjechał na stół, nim zdążyła się rozmyślić, zarumieniony jak mała dziewczynka. Pachniał tłuszczem, mięsem, panierką.

Za oknem przeszły, rechocząc, jakieś młódki. Z niej się śmiały? Nie rozpoznała, czy to dziewczyny z wczasów odchudzających, czy kompletnie ktoś inny. Tak czy siak zrobiło jej się wstyd. I jeszcze bardziej głodno.

Nacięła skórkę, która ugięła się pod nożem jak guma. Spod spodu prześwitywało różowe, niedosmażone mięso. Odesłała de volaille'a do kuchni, że surowy, skąd go dostała po pięciu minutach nadal surowego, tylko tym razem różowość ukrywała się głębiej.

Zapewne mikrofalówka nie umiała sobie poradzić ze zbuntowanym kurakiem.

Ona nie umiała poradzić sobie z żądzą napchania żołądka.

Jaki niesmak, nawet zgrzeszyć nie umiała.

A teraz wróci do pokoju, znowu skazana na kretyński serial i sapanie Janiny, by potem śnić o potworze w szpilkach, a rano wstawać niechętnie do marnego jedzenia i wysiłku ponad siły.

Na co jej takie życie.

Przy szatni spojrzała w lustro. Z tafli wpiły się w nią matowe oczy, wciśnięte w resztę zmiętej twarzy jak dwie oliwki w miskę konwulsyjnie zwiniętego spaghetti.

I łup na klamkę pokoju, aż Janina, spokojnie pogryzająca w łóżku sezamki, podskoczyła i zrzuciła

z siebie kołdrę. To już nie można ciszej otwierać?!
Szybko wsunęła nadgryzione ciastka pod poduszkę.
O co zakład, że inaczej Baśka – ściśnięta pupcia – zaraz by się do niej przyczepiła?

Może wtedy wreszcie by się odezwała?

Ta Baśka chyba nie potrafi z nikim żyć.

Przez żylaste ciało Baśki prześwitywał duch, gniewny jak zaciśnięta pięść. Janina bała się jej. Prawie jak kiedyś swojego męża.

Mogłaby w sumie zmienić pokój.

Ale wtedy zrobi się jeszcze bardziej nieprzyjemnie, przy stole i w ogóle. Trudno, przebieduje jakoś dwa tygodnie w jaskini ze smokiem.

Smok zresztą szczęśliwie rzadko tu bywał.

Baśka

Wielorybie ciało Janiny rozrzutnie zajmowało całość wczasowego tapczanu. W telewizji właśnie reklamowali batoniki, które pokrzepią każdego sportowca. Baśka, starając się patrzeć wyłącznie pod nogi, przeszła do łazienki. Rzygać jej się chciało po tym de volaille'u. Umyła zęby.

W koszu na śmieci rozkraczał się papierek po sezamkach.

Niemożliwe. Skapitulowały z Janiną tego samego wieczoru.

Wpadła do pokoju.

W telewizji zachęcali do picia gazowanego, mocno słodzonego napoju, który z każdego uczyni duszę towarzystwa.

Fałdy zrelaksowanej grubaski pofalowały jej różowy sweterek w wydmy, chwilowo ruchome, poprzedzielane głębokimi wądołami. Spojrzała na Baśkę i aż się cofnęła pod ścianę.

– W łazience znalazłam papierek po sezamkach – odezwała się Baśka.

– Ojej – uśmiechnęła się Janina. Zero poczucia winy, radosna kapitulacja usiana okruchami sezamek.

Baśka zacisnęła zęby.

– Mam jeszcze jedną paczkę, jeśli chcesz. – Uśmiech Janiny stawał się coraz szerszy.

– Chętnie, czemu nie – rzuciła Baśka. – Wzięłabym. Gdybym chciała wyglądać tak jak ty.

Uśmiech Janiny wcale nie gasł. Jakby nie usłyszała Baśki złych słów. Nawet się kulić przestała.

Baśka zrobiła krok w tył, żeby spojrzeć na Janinę z lepszej perspektywy.

– Rozumiem, że tobie już wszystko jedno. Twoja sprawa. Ale ja przyjechałam tutaj w pewnym celu. I dopnę swego, rozumiesz?

Janina nadal przebywała w odległym, szczęśliwym królestwie, gdzie rządzi podwyższony poziom cukru we krwi, a obywatele chodzą głupio uśmiechnięci.

– Możesz się zajadać na śmierć – rozpędzała się Baśka. – Dorosła jesteś i nie będę cię pouczać. Ale mnie do tego nie zachęcaj. Bo mi nawet odpowiadać się nie chce na twoje zaczepki.

Nie mogła już patrzeć na Janinę, więc przeniosła wzrok na podłogę. Tuż przy tapczanie leżał okruch sezamki. Kilkanaście zlepionych ziarenek.

– I nie rozrzucaj tu swoich lepkich resztek.

Kiwnęła głową w stronę okrucha. Janina patrzyła na nią spokojnie. Milczała. Może dlatego, że uśmiech zastygł jej na ustach. Jak lukier.

W telewizji opowiadali o pierniczkach.

Janina

Zgodnie z jej obawami, sezamki doprowadziły Baśkę do szału. Co za głupota, że nie schowała opakowania głębiej w śmieciach. Ale skąd mogła wiedzieć, że badawcze spojrzenie Baśki omiata tak dokładnie nie tylko jej obszerne ciało, ale i wnętrze kosza łazienkowego, otwieranego pedałem?

– Ale mnie nie zależy, żeby schudnąć – stwierdziła Janina, kiedy Baśka wreszcie przestała krzyczeć.

– To po co tu przyjechałaś?!

– Dla towarzystwa – odpowiedziała po prostu Janina.

I chyba udało jej się wywołać w Baśce odrobinę poczucia winy, że żadna z niej wymarzona kompanka.

– A po co ci towarzystwo, skoro w kółko gapisz się w ten cholerny telewizor?!

Pasja w głosie Baśki przeraziła Janinę. No dobrze. Machnęła pilotem.

Ciężka cisza.

– Co w takim razie będziemy robić? – spróbowała Janina.

Baśka nie chciała nic z nią robić, to było oczywiste.

– Może porozmawiamy? – zaproponowała Janina.

Baśka demonstracyjnie usiadła naprzeciwko niej w brudnawym wczasowym fotelu obitym bordową tapicerką; założyła nogę na nogę, oparła podbródek na dłoni. Czekała na pytania.

Dlaczego krzyczysz w nocy? Po co tyle czasu spędzasz w łazience? Dlaczego zachowujesz się tak, żeby nikt cię nie lubił?

Janina jednak odważyła się na coś potencjalnie najbezpieczniejszego.

– Dawno temu przytyłaś?

Baśka smagnęła ją spojrzeniem jak tasakiem.

O cholera.

– Bo wyglądasz, jakbyś wrzuciła tę dziesiątkę przed chwilą.

– Dziesiątkę?! – najeżyła się Baśka.

– Dziesięć kilo, te, o których mówiłaś, że chcesz zrzucić. Nie wiem, po co, wyglądasz świetnie. I ruszasz się lekko jak szczupła kobieta.

Tasak lekko się stępił.

– Ja już prawie nie pamiętam, jak to jest być szczupłą.

– Naprawdę? – zainteresowała się Baśka.

Uff.

– Pamiętasz osiemdziesiąty dziewiąty?

Baśka zmarszczyła czoło.

Janina

Jacy oboje byli chudzi, gdy się pobierali! On, przepalony wąsaty okularnik, żywiący się głównie ideą, klubowymi i mocną herbatą. Ona, z grzywką podkręconą lokówką, z oczami wymazanymi hojnie na niebiesko, co już nawet wtedy, w schyłkowym PRL-u, wydawało się lekko obciachowe, na diecie składającej się z wiary w słuszność tego, co robią, zagryzanej jabłkami chwytanymi w biegu.

Ale Paweł wtedy nie zwracał uwagi na jej wygląd. Na swój też nie. Łączyła ich Sprawa. Janina aż się uśmiechnęła, ale tak wtedy myśleli. Wielką literą.

Mieli się pobrać, gdy tylko Paweł wrócił z internowania, ale ciągle znajdowało się coś innego do roboty, trudno się skupiać na ślubach i zabawie w dom, gdy przyjechał z Francji nowy powielacz, a ludzie, zatopieni w magmie środka lat osiemdziesiątych, czekali na prawdziwe wiadomości. I odrobinę nadziei.

Kiedy mężczyźni zostali internowani, to one, Janina z koleżankami, zbierały wiadomości, pisały, redagowały, składały i roznosiły, często podpisując się pseudonimami tych, którzy siedzieli, żeby utrzymać ciągłość, żeby zdezorientować władze. Janina czuła satysfakcję, gdy patrzyła na nowe, ledwie czytelne numery ich nielegalnej gazetki, drukowane lekko rozmazaną, maleńką czcionką, bo przecież na czterech stronach należało zmieścić wszystko. Janina potem ładowała gazetki w specjalny pas, uszyty przez koleżankę, i z tą sztuczną ciążą chodziła po zaufanych osobach; zostawiała im po kilka numerów, z których potem każdy był czytany przez kilka, kilkanaście, kilkadziesiąt osób, z zapałem, z lupą, z nadzieją, od deski do deski, marzenie współczesnego wydawcy. Ze sztucznymi brzuchami chodziło się w miarę bezpiecznie, milicja nie przeszukiwała ciężarnych, w zabobonnym lęku przed puchnącą kobiecością. Zresztą w tamtych czasach mnóstwo kobiet zachodziło w ciążę, bo konspiracja, seks i alkohol, trzy najpopularniejsze wówczas zajęcia, wszystkie dawały złudne poczucie celu i chwilową ulgę. Wszystkie też miały swoje konsekwencje. Po alkoholu następował kac, po seksie – skrobanka lub ciąża, po konspiracji – rozczarowania wolnej Polski, jak się w końcu okazało.

Choć wtedy żadne z nich nie wierzyło, że wszystko zmieni się tak szybko.

Mężczyźni wracali z internowania i znowu siadali za maszynami do pisania, one ochoczo ustępowały im miejsca, jeszcze herbaty zaparzyły, kanapkę zrobiły, oni dość już wycierpieli, by się z nimi przepychać. Im, kobietom, zostawało przecież mnóstwo do roboty.

To one składały ich słowa, drukowały, kolportowały kilogramy bibuły w sztucznych brzuchach. One dzwoniły pod zaufane numery w kraju i posługując się dziwacznymi szyframi, dowiadywały się, że podziemie żyje, działa, rozwija się. Janina do dziś pamiętała te absurdalne gadki:

– Jak u was z produkcją mleka?

– Trwa. Pracujemy nad nią. Nawet wzrasta. W ostatnim czasie trzydzieści litrów więcej – co znaczyło prawdopodobnie, że do związku przystąpiło trzydziestu nowych członków.

– Niestety, było włamanie. Babci skradziono mikser, będą trudności z ciastem na niedzielę – co należało rozumieć tak, że przy rewizji wpadł powielacz i nie zdążą z drukiem kolejnego numeru.

Baśka

Tak, a najlepsze kasztany są na placu Pigalle. Dziecinada, nie konspiracja, pomyślała, a potem trochę się zawstydziła, bo przecież nie miała o tym pojęcia. Dzieliło je nie tylko czternaście lat, niecałe pokolenie, ale również doświadczenie, bo Baśka o konspiracji wiedziała tylko tyle, że była. Matka małej wówczas Baśki nie miała czasu na zabawę w Solidarność, tak się wypowiadała na ten temat, zabawa, gdy któryś z klientów przekazywał jej prawie nieczytelną gazetkę odbitą na cienkim papierze. Ona przecież musiała walczyć zębami i pazurami, żeby utrzymać córkę, matkę i siebie z ciastkarni. I to w czasach, gdy cukier był na kartki, po margarynę należało stać w kolejce, a po mąkę i śmietanę wyjechać na wieś, do chłopa, i to tak sprytnie, żeby przy okazji kupić cielęciny dla dziecka, bo przecież benzyna na kartki. Zdobądź, upiecz, sprzedaj – tym się martwiła matka Baśki – i nakarm, nakarm, nakarm. Dziecko, matkę i wszystkich potrzebujących. Strajki? Jakie strajki, przecież ich cukiernia to maleńka, rodzinna firma! Konspira? A kto się zajmie tym wszystkim, jeśli mnie wsadzą!

Baśka pomagać matce nie umiała, ale próbowała jej przynajmniej nie przeszkadzać.

Janina

Baśka leżała na tapczanie obok i co jakiś czas pomrukiwała ze zrozumieniem, a przy szyfrach nawet zachichotała. I nie był to wcale ironiczny rechot, po raz pierwszy, odkąd się poznały. Janinie od razu zrobiło się przyjemniej. Miło nie gadać w próżnię.

Sama nie do końca rozumiała, jakim cudem z konspiratorki stojącej na pierwszej linii barykady zmieniła się w gospodynię domową, dla której najważniejszym punktem dnia stało się czekanie z obiadem na męża. Jakim cudem z autorki tekstów, które kroczek po kroczku zmieniały Polskę, przeistoczyła się w nudnawą panią, którą mąż wstydził się zabierać na oficjalne bankiety. On pracował nad reformą służby zdrowia, ona z dzieckiem na ręku ustawiała się w kolejce uprzywilejowanych po kawałek schabu. No tak, dziecko... Ale przecież przepaść między nimi nie powstała tylko z powodu ciąży i dziecka. Chociaż wtedy właśnie powstały pierwsze pęknięcia. A może wcześniej?

Wcześniej co jakiś czas dostawali paczki z Zachodu, Paweł bohatersko dorabiał przy pomidorach i frezjach u chłopa. Żadne z nich przecież nie mogło znaleźć pracy, ona po skończonej siłą rozpędu polonistyce na praktyki nauczycielskie już nie znalazła czasu; Paweł, co prawda po medycynie, ale z piętnem działacza Solidarności, z przerwą w życiorysie na kilkanaście miesięcy internowania.

Paweł nie zawsze miał siłę i czas pisać porządne teksty, a Janinę kręciło pisanie reportaży i polemik, a zwłaszcza sygnowanie wszystkiego jego powszechnie znanym pseudonimem, czuła się wtedy częścią historii. Paweł często się krzywił, że znowu za niego podpisała coś, czego nie dopracowała. Krzywił się czy nie, z dumą jednak gromadził gazetki pod wykładziną w kuchni. Gdzieś się teraz kurzyły, wciśnięte na dół regału, niepotrzebne pamiątki. Kto by dzisiaj uwierzył, że większość jego tekstów napisała ona? Paweł też, po latach, wyśmiał ją, gdy mu o tym przypomniała.

– Oj, Jasiu, Jasiu. Ceniłem twoje korektorskie, polonistyczne oko, bywało, że miałaś celne poprawki, ale autorstwo... Moja Jasia. – Poklepał ją po dłoni. – Moja autorka... – kpił. – Wywietrz kuchnię po tym smażeniu. Bo autorstwo tych kotletów wydaje mi się stanowczo zbyt intensywne.

W ciążę, już nie sztuczną, ale prawdziwą, zaszła mniej więcej wtedy, gdy świętowali z Pawłem powołanie na premiera Mieczysława Rakowskiego, komunisty, acz podobno z otwartą głową.

Do ślubu koleżanki zorganizowały Pawłowi garnitur, całkiem elegancki, tylko odrobinę za luźny, w kolorze marengo, dla Janiny sukienkę, krótką, ale szykowną, troszkę za bardzo opinała się na biuście. Wszystko przyjechało podobno z Paryża, lepiej było nie wnikać, co, kto i jakim sposobem przywozi.

Ciąża okazała się zagrożona, a Janina, zamiast pisać, redagować, składać i roznosić, musiała się położyć w szpitalu. A tam łóżko na korytarzu, gulasz z płucek na kwaśno na obiad, zasrane toalety bez haczyka w drzwiach i leki, które Paweł musiał zdobywać od znajomych, z zagranicy. Zabiegane koleżanki wpadały wyszeptać jej do ucha, że ich nielegalne periodyki można kupić już prawie oficjalnie, ze straganów na uniwerku i w okolicach.

Wreszcie z ulgą pozwoliła się wypisać ze szpitala i z ulgą wróciła do domu, skąd zaraz wyniosły się zebrania podziemia, bo Paweł zabronił palić przy ciężarnej. Rozumiało się samo przez się, że i ona na zadymione zebrania chadzać nie będzie. Dziecko jest teraz najważniejsze.

Dodatkowe kilogramy Janina witała z radością, oznaczały, że maleństwo się zadomowiło w jej brzuchu. Narastały błyskawicznie, między obiadem a kolacją, które szykowała dla męża, gdy w realiach dogorywającego PRL-u udało jej się zdobyć skarby: wołowinę z kością, parówki, rzadko jakąś kiełbasę. Mieszkania w ich bloku obchodziła baba z cielęciną, chowała ją w siatce pokrytej zakrwawionymi gazami, ale Janinie na takie luksusy ledwie starczało pieniędzy. Kłóciła się z Pawłem, że ograniczył godziny u badylarza i za mało zarabia, że jeździ na wieś, a jakoś nigdy nie wpadł na to, by kupić tam choćby kawałek wieprzowiny. Paweł miotał się między obowiązkiem a misją, bo świat lada chwila miał się zmieniać, odwracać o sto osiemdziesiąt stopni, a tu kobieta zrzędzi, że ona musi się odżywiać i kto pójdzie stać w kolejce po łóżeczko dla dziecka, bo jej nogi puchną.

Rzeczy dla dziecka pomogły w końcu skombinować dziewczyny z konspiry. Pozbierały po swoich domach, przekopały kościelne magazyny, gdzie przechowywano rzeczy z darów, może i używane, ale po stokroć bardziej kolorowe niż szarobure sztuki nówki, które Janina dostała w Smyku na kartę ciążową razem z kocykiem i pieluchami z tetry. W kościelnych darach z Zachodu wyszperali nawet wózek, z dużymi kołami, składany, kryty dżinsem, który później robił furorę na warszawskich ulicach. Resztę kaftaników Janina uszyła sama, skoro i tak uwięzła między babą, cielęciną a rosnącym brzuchem. Paweł też ledwie się tam mieścił, więc korzystając z tego, że w domu ciasno, wychodził z ulgą, by urządzać świat na nowo.

Janina nie wzięła udziału w pierwszych, prawie wolnych wyborach, bo czerwiec 1989 roku był naprawdę ciepły, a ona z wielkim brzuchem i trzydziestoma dodatkowymi kilogramami nie dowlokła się do punktu wyborczego. Nie zagłosowała więc na swoich, nie zagłosowała również na tamtych, nie zagłosowała na nikogo, siedziała z nogami ułożonymi na taborecie wyścielonym kocem i posapywała, popijając kompot z truskawek, niskosłodzony, bo nie miała siły iść do sklepu po cukier, by przepychać się ze starcami, innymi ciężarnymi, inwalidami i kobietami z dzieckiem na ręku w kolejce dla uprzywilejowanych.

O koszmarze porodu starała się jak najszybciej zapomnieć, w końcu Jerzyk się urodził silny i zdrowy, to było najważniejsze. Kraj się zmieniał, ceny rosły, w telewizji wreszcie mówiono prawdę i wychodziły nowe gazety, a ona ogromną piersią karmiła w domu coraz większe dziecko i usiłowała połączyć pranie pieluch z zakupami, bo w sklepach ciągle było albo pusto, albo drogo. Dziecko urosło o kilkaset procent, tak jak i ceny. Nie umiała się połapać w rzeczywistości, gdzie wasz prezydent, nasz premier, wiedziała tylko, że najważniejszą gazetą jest czterostronicowa „Wyborcza", w której nawet nie drukują programu telewizyjnego, i że nie ma już potrzeby wydawać bibuły, skoro wszystko, co ważne, można pisać legalnie. Paweł uczestniczył, organizował i działał w komitetach, a ona karmiła dziecko i karmiła siebie, bo gdy mniej jadła, od razu kręciło jej się w głowie. Zrezygnował z pracy u badylarza, bo po pierwsze otrzymał wreszcie pracę w szpitalu i mógł zacząć specjalizację, a po drugie wszedł do podkomisji przy okrągłym stole i obradował nad reformą służby zdrowia. Nareszcie zarabiał pieniądze na swojej pasji. Rozkwitał, co ledwie miała okazję dostrzec, jako że do domu wpadał tylko się przebrać i przespać, nawet jadał rzadko. Pogłaskał Jerzyka po główce, składał nieuważny pocałunek na policzku Janiny i zmykał, bo Polska go potrzebowała.

W sklepach zrobiło się kolorowo, pojawiły się cytrusy, kukurydza w puszce i soki w kartonach, które jakimś cudem nie przemakały. Jak cudownie było robić zakupy bez kolejki, jak dziwnie było wejść do sklepu i naładować koszyk po brzegi, jak wygodnie było kupować świeże pieczywo nawet wieczorem, jak fajnie było odkrywać nowe szwajcarskie piekarnicze wynalazki, a to z kremem, a to z oliwkami, a to z ciastem francuskim, wszystko lepsze od gumiastych peerelowskich kajzerek. Janina pławiła się w nowej rzeczywistości i jadła, jadła, jadła. Czekolady i batony rozprowadzane w warzywniakach i parodiach dawnych sklepików kolonialnych. Misie z galaretki, których każdy kolor smakował inaczej, a najlepsze były te zielone. Ananasy, brzoskwinie, papryki. Nowe sery, a to z orzechami, a to z ananasem, a to z kolorowym pieprzem. Wędliny o egzotycznych aromatach, węgierskie, niemieckie, włoskie.

Kilogramów jej ciała przybywało równie szybko, co zapasów w szafkach. Janina ciągle nosiła ciążowe ciuchy, więc Paweł zdawał się tego nie zauważać aż do chwili, gdy raz wpadł do domu z kumplami, działaczami, którzy pogratulowali im, że tak szybko postarali się o drugie dziecko. Paweł przyjrzał się uważnie Janinie, odchrząknął, spurpurowiał.

– Nie powiedziałaś mi o drugiej ciąży?! – krzyczał, kiedy działacze poszli.

Jąkając się, speszona wyznała, że to nie ciąża. Przyjrzał się wreszcie i zauważył, że ona ogromna i dziecko bardzo duże, pełne rozkosznych fałd i podbródków, z czego się cieszyła sama, skoro męża nigdy nie było w domu.

Paweł kazał ograniczyć tłuszcze i znowu wyszedł do pracy, chudy, napędzany ideą, kawą i papierosami.

Przychodziło nowe, coraz nowsze, jej mąż wcześniej niż inni rzucił palenie, zadbał o zęby, zgolił wąsy. Była dumna, że tak szybko dostosował się do nowych warunków, gdy zaczął się liczyć również wygląd polityka. Prasowała mu koszule i nosiła garnitury do pralni, pilnowała terminów u fryzjera i u dentysty. Wychowywała Jerzyka, biegała na zebrania, działała w trójkach klasowych, dołączała do klasowych wycieczek i prowadziła dom. Tylko nie wyglądała najlepiej. Zaczęły się oficjalne wyjścia, a ona miała i stroje, i figurę kuchty, jak mąż skomentował w chwili bolesnej szczerości.

Tych chwil zrobiło się zresztą coraz więcej, Paweł zaczął ją uważnie obserwować, chrząkać, gdy jadła, chrząkać, gdy gotowała; każdy kęs wędrujący do jej ust odprowadzał uważnym spojrzeniem, zakazał jej tuczyć Jerzyka, zakazał jej tuczyć siebie i nakazał wziąć się wreszcie za gimnastykę.

Janina straciła całą radość z odkrywania nowego kolorowego jedzenia i postanowiła na jakiś czas przestać jeść. Głowa bolała, dziecko ciążyło, życie traciło wdzięk. Trwała w postanowieniu, gimnastykowała się co rano. Wytrzymywała długo, bo po parę dni, aż w końcu rzucała się na nowe zdobycze, odkrycia. I znowu jadła, jadła, jadła. Bo kupiła pierwszą bombonierkę Lindta, w której każda czekoladka kryła inną, fascynującą tajemnicę. Bo odkryła, że gdy croissanty z czekoladą podgrzeje się trochę w piekarniku, to ciasto stanie się bardziej chrupkie, a czekolada zacznie się ciągnąć. Bo salami z Węgier zgrywało się w idealny duet z żytnim chlebem ze szwajcarskiej piekarni i chrzanem ukręconym ze śmietaną trzydziestką.

W życiu Pawła pojawiły się nowe możliwości, zamiast polityki i szpitala postawił na uczelnię oraz media, a w życie Janiny wraz z nowym jedzeniem wkroczyły nowe sposoby na odchudzanie, równie atrakcyjne i kolorowe. Wydawała więc krocie na tabletki pęczniejące w żołądku, do łykania przed jedzeniem, piła tylko koktajle z torebek. Gdy po paru dniach tych katuszy strzałka w wadze ani drgnęła, a Paweł dokuczał po każdym kęsie, zarzucała wszystko i wracała do swoich gastronomicznych odkryć.

Gdy teraz przyglądała się tamtym czasom, była zaszokowana, że osiemnaście lat życia minęło tak szybko. Ledwie Jerzyk szedł do pierwszej klasy, a już mu prasowała koszulę na egzamin maturalny. Osiemnaście przyjęć urodzinowych jej syna, trzydzieści sześć tortów, bo i na imieniny mu przecież piekła, wyprawy do zoo, do kina, spacery, wizyty kolegów, wizyty u kolegów, pierwsza i druga dziewczyna, lubiła z nimi pogadać przy cieście. Zawsze czekała w domu, gdy wracał ze szkoły, zawsze miał ciepły posiłek, pomoc przy lekcjach, wsparcie, gdy zrobiło mu się smutno. Wychowała dzielnego mężczyznę, tak odważnego, że nie bał się wyjechać na studia do Wielkiej Brytanii. Zdał tam, zupełnie bez jej wiedzy, dostał nawet stypendium i dumny przyszedł się pochwalić sukcesem. Wyjeżdża. Janina protestowała ze strachu, że dzieciak, gdy się tam urządzi, już nigdy nie wróci do domu, Paweł jednak poparł syna. To wielka szansa, twierdził, otwarta Europa, otwarte umysły, międzynarodowe wykształcenie gwarancją międzynarodowej kariery.

Jerzyk więc zniknął z domu, razem ze swoimi koszulami i komputerem, dzwonił do nich przez Skype'a, wcale nie sprawiając wrażenia, że brak mu maminych tortów, ciepłych obiadów czy wsparcia. A oni zostali z Pawłem w domu sami, już bez poduszki powietrznej między małżeńskimi dziwactwami i wzajemnymi irytacjami, już bez rozładowania w postaci seksu, o którym dawno zdążyli oboje zapomnieć. W każdym razie Janina o seksie zapomniała, a co do Pawła to nie miała pewności. W ten problem jednak wolała nie wnikać.

Po wyjeździe syna wdrożyła się w nowy rytm dnia. Rano: wyprawić Pawła do pracy, potem rozpościerał się przed nią dzień pełen kulinarnych przyjemności, odkryć i poszukiwań, ukoronowany wizytą na bazarku z warzywami, w sklepie mięsnym, rybnym, czasem w jakichś delikatesach, właśnie blisko jej domu otworzyli sklep z włoskimi specjałami. Bo przecież ciągle była ciekawa, czytała blogi i fora kulinarne, oglądała kulinarne programy i zżymała się na jakość przepisów prezentowanych w telewizji. Tak naprawdę lubiła tylko Nigellę, która oblizywała palce, cięła natkę i szczypior nożyczkami, a w nocy bobrowała w lodówce. Zupełnie jak Janina.

Po powrocie Pawła z pracy zaczynała się ta gorsza część dnia, pełna ograniczeń, gdy Janinę pobolewał brzuch ze stresu i nie czuła się nigdy dość dobra. Kiedy Paweł zasypiał, ona mogła wreszcie poszukać dyskretnej pociechy w chłodziarce, przeżuwała wymagające plastry szynki szwarcwaldzkiej, snując marzenia, jaką knajpkę by otworzyła, gdyby miała wystarczająco dużo odwagi.

Jerzyk dzwonił raz w tygodniu, obiecywał, że wpadnie na święta. Te i tamte. Albo tylko tamte, jeszcze zobaczy.

A ona zajadała tęsknotę. I po wszystkim, co zjadła, przez chwilę czuła się lepiej.

Westchnęła i otarła oczy, nie wiedzieć czemu zachciało jej się płakać. Spojrzała z lękiem, czy Baśka się z niej nie śmieje.

Nie śmiała się. Spała.

Może to i lepiej.

Och, jak chętnie zjadłaby szynki. Prawie przezroczysty plasterek, a tyle w nim smaku.

Zamiast tego sięgnęła pod poduszkę, gdzie czekała ostatnia sezamka; nieważne, że musiała ją odkleić od poszewki.

Janina wsadziła ciastko do ust i ssała. Twarde ciasteczko zmieniało się w słodką, łagodną masę. Jak dobrze.

Baśka

Jak dobrze, że kazali im wcześnie wstawać.

Nieważne, że była śpiąca jak cholera po wczorajszym kolonijnym wieczorze szczerości z Janiną. Ważne, że miała po co podnieść się z tapczanu. Zaraz poranny rozruch na plaży. Plan, plan ją ratował, stawiał do pionu. Ściśle przestrzegany rozkład zajęć, bez niego Baśka ginęła, rozpływała się w plamie tłuszczu, w górze tłuszczu. Jak Janina, nieszczęsna ofiara przełomu, nadmuchana przez kapitalizm, która sapała obok na tapczanie, wypiętrzając się pod kołdrą wysoko jak wydmy w Łebie.

Prysznic, zawsze go brała przed śniadaniem, pokrywał lśniącą wodą wygolone ciało. Po kąpieli Baśka obejrzała się w łazienkowym lustrze, cal po calu analizując stan zniszczeń, którym uległa przez dobę, i tynkując grubszą warstwą balsamu co większe ubytki.

Jej babcia kąpała się zawsze przy zgaszonym świetle, przy zgaszonym wycierała i ubierała, przy zgaszonym siusiała. Czarne okno w drzwiach łazienki z pluszczącym podkładem dźwiękowym oznaczało, że siedzi tam babcia. Baśka bezskutecznie usiłowała rozwiązać ponurą zagadkę wyłączonej żarówki. Mama tylko wzruszała ramionami i zbywała pytania, aż za którymś razem wreszcie zdenerwowała się i wyjaśniła. Otóż ciało, stare brzydkie ciało, nie służy do oglądania. Babcia nie chce patrzeć na to, co jej udom, ramionom, brzuchowi wyrządziły dziesiątki przeżytych lat, nikomu nie wolno patrzeć, nawet i jej samej, więc wyciera się i ubiera po ciemku, by z łazienki wyjść w pełnym rynsztunku, gotowa do oglądania.

Baśka nigdy nie widziała jej ciała powyżej łokcia, połowy łydki czy poniżej siwych włosów, spiętych na karku w spiralny warkocz. Suknia w kwiaty z kontrafałdą sprytnie zakrywała to, czego nikt nie powinien oglądać. Nawet Jezus, miała nadzieję babcia. Zwłaszcza Jezus. On miałby patrzeć na jej posiwiałe łono? Chyba posiwiałe, przecież Baśka nigdy go nie widziała, raz tylko znalazła na desce klozetowej siwy, skręcony, twardy włos. Babcia pewnie umarłaby z zażenowania, gdyby zarejestrowała jego bezwstydną obecność poza zasłoną majtek.

Baśka pewnie też umarłaby z zażenowania, i właśnie dlatego włosy łonowe ograniczały swoją obecność do cienkiego sznureczka ozdabiającego samo wejście do pochwy.

Mamy też Baśka nigdy nagiej nie widziała. W ogóle była nieoswojona z kobiecą nagością, do tego

70

stopnia, że jako dziecko dałaby głowę, że kobiecie w pewnym wieku wyrasta z przodu taka półeczka, miękka i zaokrąglona. Skąd niby miała wiedzieć, jak wyglądają kobiece piersi?

Wyszła z łazienki. Janina nadal drzemała na swoim tapczanie. Mruknęła tylko coś w rodzaju: „Daj mi spać", więc Baśka sama zeszła na śniadanie.

Krótkie dzień dobry do zebranych wielorybków i oczy w talerz, niech one gawędzą, ona przecież zwierzać się nie zamierza, kontakty stołówkowe do niczego nie są jej potrzebne, nawet słuchać tych babek nie zamierza. Nuda, snują jakieś spożywcze miraże, analizują wpływ kapusty na trawienie, zastanawiają się: lepsza surowa czy gotowana. Ona ma swój cel: schudnąć. Nie zaprzyjaźniać się, nie plotkować, tylko po prostu wrócić do normy, w której się świetnie czuła.

Naprawdę świetnie.

Dawna Baśka wydawała jej się taka dzielna, zorganizowana. Tamta poprzednia Baśka, która co wieczór wyznaczała sobie menu na następny dzień: śniadanie sto pięćdziesiąt kilokalorii, obiad (sałatka) – dwieście pięćdziesiąt, kolacja – trzysta pięćdziesiąt do czterystu: nieduży stek i warzywa na parze. Która pamiętała, pilnowała, wymierzała. Co drugi dzień – łyżka oliwy extra vergine (dziewięćdziesiąt kilokalorii), na lepszą cerę i dla lepszego przyswajania witamin. Codziennie – głód. Przyzwyczaiła się do niego, przywiązali się do siebie. „Figura dwudziestolatki", mówiły koleżanki. Cóż, wiele dwudziestolatek mogłoby jej figury pozazdrościć.

Krótkie spódnice, obcisłe sweterki. Niech patrzą, do czego można dojść, gdy się chce i pracuje nad sobą.

Coranne ważenie na wadze elektronicznej, przepisowo – po porannym wypróżnieniu.

Zakupy z listą w ręku, żeby nie zgrzeszyć.

Napięty plan dnia, żeby zdążyć na codzienny aerobik: pilates, fat burning, spinning, ABS, wszystkie te anglojęzyczne nazwy, które miały w ryzach utrzymywać polskojęzyczne ciało.

W centrum przystawała przed restauracjami, czytała menu, wyobrażała sobie, jak może smakować spaghetti w oliwie truflowej z nutą słodkiej papryczki albo panna cottę z musem malinowym i kratką gorzkiej czekolady.

Ale jeśli tam wchodziła, to na espresso. Albo wodę z cytryną.

Dwa kilo mniej.

Radość.

Trzy kilo mniej.

Euforia.

Nowa spódnica, o numer mniejsza.

Zawistne spojrzenia fałdzistych, wbitych w wyszczuplającą bieliznę, koleżanek z pracy. To weźcie się za siebie, foki nieruchawe i żarłoczne.

Wywiady z kelnerami: a na czym to państwo przyrządzacie.

Zirytowane spojrzenie w sufit, upierdliwa baba w podtekście.

Brak napiwku zatem.

Panika przed wyjazdem na wakacje: co ja tam będę jadła?! I głodowanie między smażalnią a budką z goframi.

Michałowi wcale się tymi mękami nie chwaliła. Krew, pot i łzy – cała ta urodowa kuchnia powinna pozostać na zapleczu, tam, gdzie mężczyźni się nie zapuszczają. Niech podziwiają wyłącznie efekty.

I Michał podziwiał.

– Królewno ty moja – mawiał. – Masz taką gładką skórę. Nicole Kidman na pewno ma podobną. Scarlett Johansson. Charlize Theron. – Skąd on brał te wszystkie aktorki? – Jesteś od nich lepsza. Ładniejsza.

Wsuwał dłoń pod jej sweter, by musnąć plecy, ostrożnie, jakby po kryjomu dotykał obrazu w muzeum.

– W tych butach chyba nie chcesz prowadzić – oznajmiał z uśmiechem, gdy chwiała się na wysokich szpilkach. – W takich butach powinnaś siedzieć i ładnie wyglądać, niech mi wszyscy zazdroszczą takiej pięknej żony.

Przez te obcasy zapominała, jak się prowadzi samochód, tylko dumnie królowała u jego boku. Wszędzie ją woził, do pracy nawet, chociaż w tym celu musiał wcześniej wstawać. Doceniała. Odprowadzał ją wzrokiem do drzwi. Czasem jeszcze wybiegał za nią, żeby przejechać dłonią po wąskiej talii, zburzyć jej włosy na karku, pocałować, gdy wszyscy patrzyli.

Od początku taki był – troskliwy, dumny, zakochany po uszy. Od pierwszej chwili, ponad jedenaście lat temu. Wtedy weszła na lekcję tańca, a on zagapił się w nią jak sroka w klejnoty koronne. Baśka też patrzyła na siebie, w lustrze, zdezorientowana, bo nijak nie mogła zgrać swoich kroków z krokami reszty grupy, a zwłaszcza instruktorki.

Na hasło „Panowie proszą panie" podszedł do niej.

– Jesteś najpiękniejszą kobietą, jaką kiedykolwiek widziałem. Jaką widziałem na żywo – dodał uczciwie. – I masz najgorsze poczucie rytmu, jakie widziałem – powiedział po chwili.

Chciała się obrazić, ale nie umiała, bo ją rozbroił.

– Nie będzie nam łatwo tańczyć. Ale przecierpię. Bylebym tylko mógł patrzeć.

Suknię ślubną kupili lekko błękitną, pod kolor jej oczu.

Do miłości układał ją w bieliźnie i całował przez koronkę gładką skórę napiętego, niemal wklęsłego brzucha.

– Zatańcz – prosił. Tańczyła, nieważne, że nie w rytmie. Chodziła w halce, koronkowym body, w jego koszuli w paski, w samej spódniczce, krótkiej jak orgazm kota.

Patrzył.

Nie znała większej rozkoszy, niż kupić sobie coś nowego i mimochodem stanąć przy zlewozmywaku, oprzeć się, wypchnąć biodro, a on podchodził, klękał jak przed Najświętszą Panienką i gładził jej uda. Szczupłe, gładkie, złotawe, wklęsłe na samym środku. Przyglądali się im oboje, zachwyceni.

Uda okupione nieustannym głodem, poczuciem winy w piekarni, wiecznym jedzeniem warzyw, podczas gdy inni pochłaniali frytki, maczając je w majonezie, chrupali cienkiego schaboszczaka, żarli karkówkę bejcowaną w piwie, kończąc orgię lodami z polewą czekoladową. Ona jadła sałatkę po grecku, wyjmując co drugą kostkę fety, a kończyła posiłek kawą espresso bez cukru i – na deser – szklanką wody z cytryną. Nagroda? Jego spojrzenie, jego zadowolenie, adoracja jej ciała.

Michał, jej mąż, który ją czcił, a potem znienacka porzucił.

Nie było Janiny, więc uplasowała się na marszobiegu ostatnia. Ostatniusieńka. Nikt już za nią nie sapał, nie przystawał, nie okupował kamieni. Szkoda, dopiero teraz sobie uświadamiała, jak krzepiła ją ta powolna straż tylna.

A obok niej wylądował jeden z niemieckich gejów, ten szczuplejszy.

Zwolnił i zaczekał na nią. Coś mówił, w języku, który nigdy nie wchodził jej do głowy. Wzruszyła ramionami.

– *Do you speak English?* – zagaił, porzuciwszy niemieckie szczeknięcia.

Po angielsku też nie chciało jej się wysilać. Bąknęła tylko:

– *A little.*

Czego on chce?

– Jest pani Polką? Niemożliwe. – Zdziwienie po polsku.

– No tak.

– Czyli cały mój pomysł na nic. – Nieznacznie przyspieszył, ale kiedy zobaczył, że ona zostaje z tyłu, zwolnił.

– Jaki pomysł?

– Obserwowałem panią dziś przy śniadaniu. Tamte się śmiały, pani milczała. Myślałem więc, że i pani z zagranicy, że przysiądzie się pani do nas, do mnie i mojego kumpla, a wtedy stworzymy stolik obcojęzyczny.

Kpi z niej?

Szła teraz wolniej. Po chwili wyrównał do niej.

– Pani pierwszy raz na tych wczasach? Ja tu przyjeżdżam co roku, odzyskać formę. Przy okazji odwiedzam Polskę, bo na co dzień mieszkam w Niemczech.

Kiedyś nie chciało mi się dbać o siebie, no i skończyło się zawałem. Od tamtej pory minęło siedem lat. Wtedy powiedziałem sobie: dziś pierwszy dzień twojego nowego życia, musisz wziąć się za siebie. A pani? Jak pani tu trafiła?

Hm, co mu odpowiedzieć? Mama znalazła mi wczasy odchudzające, żebym znowu wyglądała jak człowiek?

– Znajoma poleciła. Powinnam... no, wrócić do formy.

– Jeśli pani chce... Mógłbym udzielić kilku wskazówek.

– Słucham?! – Jakim prawem ją poucza?

– Oddech ma pani krótki, policzki zaczerwienione. A gdyby pani wydłużyła krok? I zwolniła nieco? Serce należy powoli przyzwyczajać do wysiłku, z czasem będzie lepiej... – Nawet się skubany nie zasapał, chociaż tyle gadał.

Ale jej nieco ulżyło, że chodzi mu o tempo, nie o wygląd, nie o ciało z dziesięciokilową nadwagą. O tym się nie rozmawiało, bo bolało, to należało pomijać, pokonywać i zwalczać.

Zamyśliła się i od razu została z tyłu.

– Tak, na tym etapie to chyba pani tempo. Ale proszę jeszcze wydłużyć krok! – krzyknął i ruszył do przodu.

Zgodnie z przewidywaniami dotarła do molo w Gdyni-Orłowie ostatnia. Nie podbiegła, wolała patrzeć, jak fale ponuro rozbijają się o brzeg, jak mewy wrzeszczą, jak świat się porusza. Została z tyłu, za ostatnią odchudzającą się dziewczyną, za panami z Niemiec, najpierw dwadzieścia metrów, potem sto, wreszcie ze dwieście. Nic przyjemnego, wiadomo. Ale w sumie powinna się już przyzwyczaić. Niech myślą, co chcą, ważne, aby ciała ubywało, tylko to ważne, a nie co o niej myślą.

W końcu zawróciła do niej zaniepokojona trenerka.

– Dobrze się pani czuje? – spytała.

– Nie najgorzej. Idę swoim tempem, po prostu.

– Jakby coś…

– Dam znać – uspokoiła ją Baśka.

Krzyki mew łaskotały od środka jej wątrobę i splot słoneczny, i nagle słońce odbiło się w wodzie.

Potem zaszło, widać było dno, kamienie obrośnięte glonami, na sto procent śmierdzącymi jak wczorajsze guam. Mewy siedziały na wodzie, łapki w kolorze gumy balonowej schowały pod powierzchnią. Wysoka fala, one w górę, mijała fala, mewy w dół. Ale trwały, gdzie chciały. Tylko jedna, zdechła, dała się falom wyrzucić na brzeg.

Na odchudzający obiad podali im sałatę (o tej porze roku miała smak polimerów) i tuńczyka (za życia wchłonął całe świństwo oceanu). Kucharz o soli i pieprzu ostatnio słyszał w swojej prowincjonalnej szkole gastronomicznej, a o ziołach i oliwie nie słyszał nigdy. Ona tu zdechnie z niesmaku.

A teraz siedziała na ławce przy basenie, w miejscach strategicznych wstydliwie owinięta ręcznikiem, i przyglądała się tym, które wstydziły się mniej, więc nie osłaniały się niczym poza wciśniętymi w ciało kostiumami kąpielowymi, czyli na przykład Janinie, ale przecież nie tylko. Nie było tu kobiety bez cellulitycznych kalafiorów na udach i pośladkach, mniejszych lub większych. Niektóre miały rubensowskie góry i doły również na plecach, ramionach, a nawet karkach. Dziwiła się, jak niektóre ochoczo obnażają całą swoją wstydliwą niewytrwałość w walce z cellulitem. Bo to wszak nie jest nieuchronne, można tego uniknąć, co wiemy z gazet dla kobiet. Spójrzmy na gwiazdy hollywoodzkie, które pracują nad sobą i przez dwadzieścia parę lat mają po dwadzieścia parę lat, a przez następne dwadzieścia mają trzydzieści parę. To przykład, który nam dano do wierzenia i naśladowania, amen.

Dość marnowania czasu. Baśka zsunęła ręcznik z bioder, by szybko wskoczyć do basenu i zanim zacznie się gimnastyka w wodzie, przemierzać basen za basenem, bez przyjemności, dbając o równomierną pracę wszystkich mięśni, aż ledwie dyszała, co było dobre, bo dopiero wtedy następuje właściwy trening aerobowy i spalanie tłuszczu, niech się stanie.

A tamten facet z Niemiec stanął na brzegu i na nią patrzył.

Szydził? Ruch mięśni zbyt obficie pokrytych tłuszczem faktycznie potrafił być groteskowy. Ją samą fascynował, ale przecież starała się nie gapić na nikogo tak ewidentnie. Próbowała dać mu znać spojrzeniem, że nie jest tu mile widziany. Zrozumiał? Cóż, pewnie nie, skoro stał dalej, jak samozwańczy trener. Nie, Baśka się nie podda, nie wyjdzie z basenu, będzie pływać, mimo całej nieżyczliwości spojrzeń żylastego Niemca.

Podczas kolacji uśmiechnął się do niej. Spuściła wzrok na swoją cukinię z jabłkiem i szczypiorem, przeżuwała w milczeniu. Nie pozwoli znowu zrobić z siebie idiotki. Dziewczyny chichotały, jakby miały po piętnaście lat. Cały świat się zjednoczył, żeby ją wykpić. Czuła się nieswojo i chciało jej się płakać, więc już nie poszła na saunę, bieżnię, spacer, tylko schroniła się w swoim pokoju, gdzie co prawda pachniało Janiną, ale jej samej ciągle nie było.

Wreszcie wróciła, zarumieniona, rozchichotana. Zapaliła światło, aż Baśce załzawiły oczy.

– A ty tu sama siedzisz? Po ciemku? Biedactwo! A tamten pan krążył, szukał, pytał o ciebie.

– Jaki pan, do cholery? – warknęła Baśka.

– Andreas. Czyli Andrzej. Z Niemiec.

– Czego ode mnie chciał?

– Pewnie tego, czego chce większość mężczyzn od kobiet – uśmiechnęła się Janina, jakby miała jakiekolwiek pojęcie o tym, czego od kobiet mogą chcieć mężczyźni.

Baśka, owszem, podobała się mężczyznom. Dziesięć kilo temu. Teraz nikt nie dawał się nabrać, choć próbowała ukrywać sflaczałe nadmiary, bo nie znosiła korpulentnej pani odbijającej się w lustrach, oknach, witrynach sklepowych. Ta pani złośliwie ruszała się jak ona – rześkim, młodzieńczym, wysilonym krokiem, karykaturalnym przez to, co musiała dźwigać. Jej ciuchy, niegdyś przyjazne, zaczęły obnażać ramiona jak balerony, przecięte nitkami ścięgien, pokropione śladami po zapaleniach mieszków włosowych, włókniakami, brązowymi pieprzykami.

Jeszcze słyszała w uszach gwizd budowlańców, żołnierskie za nią pokrzykiwania, pamiętała obracające się głowy, taksujące spojrzenia w autobusie. Jeszcze prostowała się odruchowo, kroczyła dumnie, toczyła spojrzeniem wokół do momentu, gdy jakaś wystawa objawiała w całej okazałości piersi przecięte na pół miseczkami stanika, niegdyś dobrze dobranego, półkule miękkiej i przebrzmiałej urody, które już nie mieściły się w kryteriach rozmiaru 75B. Nie mieściły się w żadnych estetycznych kryteriach, wypiętrzające się nad tym, co wypiętrzało się pod spodem.

Przestali się za nią oglądać na ulicy. A ona w ramach zemsty też na nich nie patrzyła.

Nie liczyła na nic. Nie miała prawa.

Co więc sugerowała jej ta durna Janina? Co miał oznaczać ten chichot? Kpinę czy krańcową naiwność?

– To dłuższa historia – wycofywała się rakiem Janina. – Naprawdę długa historia.

Janina

– Nie maluj się mocno. Najlepiej w ogóle – zarządzał Paweł. – Makijaż cię postarza.

Tak, wiele się zmieniło od dnia ich ślubu.

Wcale się nie czuła dobrze na tych przyjęciach. Ale na bożonarodzeniowe imprezy w pracy, w jego pracy, bo ona przecież pracy zawodowej nie miała, tradycyjnie chodziło się z żoną. Wszystkie żony panów obecnych na imprezie zorganizowanej przez stację telewizyjną były od niej dwukrotnie młodsze. Drugi garnitur żon wkładany po czterdziestce, tylko ona z pierwszego garnituru, jak jego ślubne spodnie. Żadnej z tych pań nie znała, a wszystkie trochę ją onieśmielały. Zresztą o czym miałaby z nimi rozmawiać?

Stanęła przy półmisku z kanapkami i zaczęła dobierać po dwie z każdego rodzaju, a tych z musem z cielęciny nawet trzy, i usiadła pod ścianą.

– Porozmawiaj z kimś, nie zachowuj się jak kuchta. – Paweł przegalopował na drugi koniec sali, do grupy eleganckich mężczyzn i szczupłych kobiet.

Tartinki były robione wczoraj, w najlepszym razie dziś rano, bo chleb już całkiem rozmiękł. Odstawiła talerz na stolik z kompozycją kwiatową. Wstała. Przeszła do przedpokoju. Chciałaby zniknąć na zawsze. Albo stać się kim innym. Spojrzała przez szklane drzwi. Nawet nie zauważył, że wyszła, bo stał przy jakiejś brunecie z dużym nosem i chudymi nogami. Tak by chciała urodzić się niedźwiedziem i spać teraz snem zimowym w bezpiecznej gawrze, a nie wbijać się w przyciasne palto.

Śnieg padał cichutko i uspokajająco, pokrywał wszelki brud. Marzyła o małej, pustej, ciepłej kawiarence z wuzetkami i kelnerką równie grubą jak ona sama, ale nie znała tej okolicy. Zresztą nie ma takich knajpek ani wuzetek, w gablotach przy ladzie leżą ciasta o tak dziwacznych nazwach jak flappy czy brownie, a przy stolikach siedzą młodzi ludzie, którzy komentują każdy cudzy kęs, bo gruba nie powinna się obżerać.

Na środku jezdni stał samochód, wokół tłoczyła się spora grupa ludzi.

– Czy jest tu lekarz?! – krzyczeli.

Przebiła się przez tłum. Na asfalcie leżał strasznie blady młody człowiek z zamkniętymi oczami. Nieprzytomny.

– Ktoś wezwał pogotowie? – spytała.

Gapie rozstąpili się, ukazując kierowcę.

– Kiedy pan dzwonił?

– Ja...

– Chce pan beknąć za zabójstwo?

Czym prędzej wyciągnęła komórkę, wystukała sto dwanaście. Karetka. Nieprzytomna ofiara wypadku. Nie, nie widać krwawienia. Oddycha. Odłożyła komórkę i już klękała przy nieprzytomnym.

– Nie żyje – zafalował tłum.

– Włącz pan światła – rzuciła do kierowcy.

Podniosła powiekę chłopaka, źrenica się zwęziła.

– Pan pomoże mi go ułożyć – dźgnęła palcem najbliższego mężczyznę. – A pan kierowca niech przyniesie z samochodu jakiś koc.

Przewrócili chłopaka na prawy bok, podkładając derkę. Serce biło. Prawa dolna noga zgięta. Pozycję pamiętała, cała sztuka polegała na tym, żeby nieprzytomny leżał bezpiecznie i się nie udusił. Chyba było jeszcze coś z językiem, jeśli dobrze pamiętała. Więc otworzyła chłopakowi usta i wyjęła język. Miękko, mokro. Co za szczęście, że jeden z ostatnich programów Pawła opowiadał o pierwszej pomocy.

I chyba już nic nie mogła zrobić, tylko czekać. Kiedy tak siedziała obok nieprzytomnego dzieciaka, trzymając dłoń na jego policzku i zaklinając: „Wracaj. Nie umieraj. Zostań", Paweł dzwonił kilka razy. Nie odbierała. To, co się działo, było zbyt ważne, by się tłumaczyć z zamieszania z młodymi żonami i rozmiękłymi tartinkami, które przypominały tandetne dekoracje do marnej sztuki.

Policja przyjechała jednocześnie z karetką.

– Tam jest pani doktor, tam siedzi.

Tłum rozstąpił się ochoczo i nagle znalazła się sama obok leżącego.

Nie, nic z tego. Podniosła się szybko i zanurkowała w tłum, przepychała się pospiesznie, ludzie myśleli, że do wozu policyjnego, ale znikła gdzieś w padającym śniegu. Usiadła na przystanku i patrzyła, jak ładują chłopaka do karetki, jak włączają sygnał, jak pierzchają gapie, jak biały śnieg zmienia się w rozdeptaną breję.

– Daj ci, Boże, zdrowie – pomodliła się jeszcze, sama nie wiedziała, do kogo.

I znowu przyłapał ją niecierpliwy dzwonek telefonu. Paweł. Gdy usłyszał jej głos, powiedział tylko:

– No wiesz?! – i się rozłączył.

Wróciła do domu, ale nawet nie wyszedł z gabinetu, siedział tam i pochrząkiwał. Chyba gniewnie.

Nie zapukała do niego, choć być może czekał na przeprosiny.

Na kolację zrobiła krzepiącą zupę z soczewicy, z cytryną i mleczkiem kokosowym, aksamitną, ale silną w smaku. Paweł nie wyszedł z gabinetu, nawet gdy podsmażała cebulę z garam masalą i kuminem, choć z rozmysłem nie włączyła wyciągu kuchennego.

Poszła spać z pełnym brzuchem, co zawsze sprawiało, że czuła się bezpiecznie. Śniło jej się, że przytula rannego młodzieńca, że gładzi go po głowie, że rozgarnia włosy na jego czole. Gdy otworzył oczy, poczuła ulgę.

Rano obudziła się jak zwykle punkt siódma. Słyszała, że Paweł również wstał, ale nie zajrzał do niej, żeby powiedzieć dzień dobry, uznała więc, że jeszcze poleży, żeby nie patrzeć na jego kamienną twarz. Ktoś z tytułem profesora chyba potrafi sobie sam zrobić kawę. A nawet zalać mlekiem płatki. Wstała dopiero, kiedy wyszedł.

Wieczór, razem z innymi dziewczynami, miała spędzić u Teresy z kółka grubasów, która zamierzała świętować bolesną trzydziestą rocznicę urodzin. Janina od tygodnia szukała pretekstu, żeby się wymówić, w końcu był to dzień emisji programu Pawła, wiedziała, że powinna siedzieć obok niego jak co tydzień, dzieląc uwagę między męża realnego i męża na ekranie. Nie miała pewności, czy Teresa zrozumie. Nie mogła usiedzieć na miejscu, blaszana miska i kolorowe gazety wydały się jej nagle strasznie pozbawione znaczenia. Musiała wyjść z domu.

U fryzjera kazali jej czekać. Zadzwoniła do Pawła, nie odbierał, więc nagrała mu wiadomość: dokąd idzie, kiedy wróci i że obiad w lodówce do odgrzania, a Paweł może sobie sam nastawić ryż. O programie nawet się nie zająknęła.

W nowej fryzurze nie wyglądała ani lepiej, ani gorzej. Nawet nie bardzo inaczej. Ale miło było, że przez godzinę ktoś zajmował się tylko nią, nawet jeśli fryzjerka trochę szarpała.

Nie miała ochoty wracać, niech się trochę o nią pomartwi, poszła więc połazić po galerii handlowej, i nagle w sklepie z ceramiką wypatrzyła doniczkę w kaczki, wyglądały, jakby uciekły z etruskich malowideł, coś takiego pokazywali parę dni temu w telewizji. Coś między tradycją a dowcipem, to mogło spodobać się trzydziestolatce. Paweł ciągle nie dzwonił. Ona do niego też nie. Ludzie w galerii handlowej biegali bez sensu, potrącali ją, potykali się o nią.

Wysłała esemesa do Teresy z pytaniem o adres.

Na urodzinach podano białe wino, filety z kurczaka i sałatę, a na deser ciastka z mąki razowej, to taki ukłon w stronę dietetyki, i śmietankowy likier Baileys, to taki ukłon w stronę przyjemności. Grubaski umieją gotować. Janina piła dużo, specjalnie, po trzecim kieliszku zakręciło jej się w głowie, po czwartym – zrobiło jeszcze przyjemniej. Opowiedziała o wczorajszym wypadku, nareszcie komuś mogła się z tego zwierzyć, przejęły się, naprawdę, że tak sobie dobrze poradziła. A potem rozmowa już całkiem zeszła na mężów i partnerów, dziewczyny pokazywały sobie ich zdjęcia. Tylko Janina nie nosiła fotografii Pawła przy sobie.

– Ale wiecie co? Chcecie zobaczyć mojego męża? Włączcie telewizor. – Program miał się skończyć dopiero za parę minut.

– Taa, i nazywa się Krzysztof Ibisz.

– Nie, naprawdę, jest teraz w TVN Style.

Paweł czarował z ekranu. Jeszcze przystojniejszy niż w rzeczywistości: piękna opalenizna przy białej koszuli (domyślała się, że chodzi do solarium) i wspaniałe zęby – chętnie je pokazywał, emitując uśmiech co trzydzieści sekund, z zegarkiem w ręku.

Tak wyglądała twarz jej męża, którą nazywała twarzą na wynos. Na żywo Janina nieczęsto miała okazję ją oglądać, nawet kiedy wychodzili gdzieś razem, przecież wtedy szedł obok niej. Gdy widziała go takiego miłego w telewizji, mogłaby się w nim znowu zakochać. Obiektywnie patrząc, a dzielący ich ekran dodawał obiektywizmu, Paweł był uroczy, świetnie ubrany i w żadnym wypadku nie wyglądał na swoje pięćdziesiąt cztery lata.

Dla niej przeznaczona była druga twarz. Nakładał ją, bezszelestnie otwierając drzwi kluczem (nigdy nie dzwonił, jakby chciał ją na czymś przyłapać). Była to twarz ze zmarszczonymi brwiami i ironicznie zasznurowanymi ustami. Jeśli przyłapał ją na jedzeniu (ostatnio rzadko, bo się pilnowała), mówił:

– Nie, nie, nie przeszkadzaj sobie, wiem, że to dla ciebie najważniejsze.

Jeśli sprzątała:

– Poczytałabyś coś.

A jeśli czytała kobiece gazety:

– Wzięłabyś się lepiej do książek, a nie marnujesz czas na te idiotyzmy.

Wiedziała, że Pawłowi trudno się zdobyć na życzliwość wobec kogoś tak grubego i leniwego jak ona. Ale nie lubiła tego, co mówił. Więc nauczyła się go nie słyszeć. Potakiwała lub mówiła: „Przepraszam", bo wiedziała, kiedy skończył mówić, i rozpoznawała z tonu, o co mogło chodzić, ale nie docierało do niej ani jedno słowo. Jeśli docierały, bolały.

– To twój chłop? Ile jest młodszy od ciebie? – spytała Teresa.

– Starszy. O dwa lata – wyjaśniła Janina.

– O, przepraszam – speszyła się Teresa.

– No, z tym naszym wiekiem jest rzeczywiście dziwnie – odezwała się inna. – Grube nie mają wieku. Dawno zauważyłam, że ludzie oceniają wiek nie po zmarszczkach, bo tłustym się nie robią, ale po tym, jak kto się rusza. Kiedy oglądałam film z wesela mojej siostry, dużo gorsze od moich podwójnych podbródków było to, że się ruszam jak czołg.

Babki gadały, więc zupełnie nie słuchały Pawła bezskutecznie czarującego z ekranu. Janinie zrobiło się przykro. Dobrze, że tego nie widział, boby sobie pewnie w łeb strzelił.

Tylko jedna uprzejmie patrzyła w telewizor. Teresa.

– Ładny ten twój stary, ale co on właściwie mówi? Nie rozumiem.

– Jak to nie rozumiesz? – obruszyła się Janina. – On jest świetny. Jego naprawdę bardzo cenią.

– No tak, oczywiście, no i doskonale wypada na wizji – wycofała się Teresa.

Janina, trochę jeszcze oburzona krytyką, słuchała, jak jej mąż przemawia z ekranu, pierwszy raz nie w jego przejętej sobą obecności. Dopiero teraz zauważyła, że Paweł wypowiada okrągłe, potoczyste zdania, wyskakiwały mu z ust jak perełki, toczyły się i znikały gdzieś pod szafą, trudno było coś spamiętać. Ona właściwie też niewiele z tego pojmowała. Łyknęła baileysa. Po co wypluwał zdania, jakby gadał z mównicy?

– Ładny, ale faktycznie gadać za bardzo nie umie – odważyła się Janina. – W domu też niespecjalnie się porozumiewa. Jego najczęstsze zdanie: już chyba dość zjadłaś.

Wszystkie zachichotały.

Do domu wróciła taksówką, roześmiana.

– Cześć, Pawełku.

– Piłaś.

– I jadłam.

Parsknęła śmiechem i poszła do kuchni. Paweł jednak nie ugotował ryżu. Widać był zbyt zajęty podziwianiem siebie w telewizji.

Zaczęła odgrzewać obiad, bo w sumie zdążyła już zgłodnieć po tych imieninach.

Stanął nad nią.

– Zaparz sobie gorzkiej herbaty i się prześpij. Nie jedz na noc, spójrz na siebie.

– Po co? Nic się nie zmieniło od ostatniego razu.

– Raźno nałożyła sobie do blaszanej miski. – Pyszna zupka, mniam, mniam. Smakowała ci?

– Może jeszcze dolejesz śmietany? – ironizował.

– Idź spać, strasznie się kompromitujesz.

– Ale nie w telewizji, Pawełku. Trochę dziś nudziłeś, wiesz?

Zmartwiał, zbladł.

– Oglądałaś?

– Z dziewczynami. Śmiały się z ciebie.

Pokręcił głową. Raz, drugi, trzeci. W końcu zacisnął usta i wyszedł z kuchni, żeby się zamknąć w gabinecie.

Jakoś nigdy przedtem nie dotarło do niej, że jest zwyczajnie groteskowy.

Zjadła całą zupę, potem dogotowała ryżu i zjadła z gulaszem.

Rano łupała ją głowa. Paweł zniknął z domu, zanim zwlokła się z łóżka, i całe szczęście, bo wstydziła się spojrzeć mu w oczy. Wieczorem wrócił później niż zwykle i nie odpowiedział ani na jej skruszone „Dzień dobry, kochanie", ani na pytanie, czy do kotletów woli kaszę czy ziemniaki. Ugotowała więc

kaszę, a on podziubał obiad bez przekonania i w ciszy, aż wreszcie zrozumiała. Karał ją. Zapowiadały
się ciche dni.

Kilkanaście dni ciszy zaaplikowanych przez Pawła, najdłuższe chyba milczenie w historii ich związku,
spowodowało, że Janina poczuła się jeszcze bardziej
samotna niż zwykle. Jerzyk nie bardzo miał czas na po-
gaduszki na Skypie dłuższe niż „Cześć, mamo, u mnie
wszystko w porządku, widzę, że i wy jakoś ciągniecie,
mam mnóstwo roboty, całuję" i cmok w kierunku ekranu. Zresztą ile razy w tygodniu miała go niepokoić?
    Pilotowana więc telefonicznie przez Teresę, zało-
żyła sobie konto na portalu społecznościowym i już,
przez całą dobę miała dziewczyny z kółka grubasów
na wyciągnięcie komputerowej myszy. Wreszcie przestała czekać, aż Paweł się do niej odezwie. Tkwiła
w innej rzeczywistości, przedłużała sobie spotkania
grubasek na cały tydzień. Czytała.
    W całym naszym mieście są tylko trzy sklepy dla
osób z taką nadwagą jak moja. I to mnie załamuje.
Oni myślą, że tyją tylko stare baby, nie młode dziew-
czyny. Ciuchy są w kolorach i wzorach jak dla pań
po sześćdziesiątce, pisała któraś.
    Albo inna, większa jeszcze niż Janina, choć sporo
młodsza: *Ważę prawie dwa razy tyle, ile powinnam,*
według tych wszystkich tabel. Chora? Mówię tak

czasem, kiedy chcę się usprawiedliwić albo wzbudzić współczucie. Ale nie, nie jestem chora. Ja mam tylko w środku taką pustkę, która gdy się zdenerwuję czy zmartwię, każe mi pochłaniać wielkie ilości jedzenia. Wtedy czuję się lepiej. Mam tak od wieku dojrzewania, mniej więcej.

Paweł kręcił się za plecami Janiny, pochrząkiwał, chciał usiąść przy komputerze, więc zamykała czaty i szła do kuchni, swojej twierdzy, ale już wiedziała, gdzie jest życie: tutaj, z grubaskami. W niektórych sprawach rozumiały się w pół słowa. Nadmiar kilogramów, jak się okazywało, kształtował nie tylko ciała, ale i dusze.

Próbowałam już każdej diety świata, pisała kolejna. Zrzucałam i po dziesięć kilo, gruby na początku chudnie szybko. Ale zaraz wystarczyło drobne zmartwienie, żebym znowu zaczynała jeść, i przybywało mi wtedy dwanaście. Tyle męki, żeby przytyć dwa kilo? To już wolę się nie odchudzać.

Inna: a najbardziej mnie wkurza, kiedy mi tłumaczą, jak to łatwo schudnąć. Że wystarczy trochę ćwiczyć. A ja chciałabym ich zobaczyć na aerobiku z czterdziestokilowym plecakiem, bo tyle mam nadwagi. Ciekawe, czyby im się tak łatwo skakało.

Gdy Janina miała dość dyskusji o nadmiarach, szła gdzie indziej. Na forach internetowych udzielała się z początku nieśmiało, od czasu do czasu dorzucając jakąś radę na Kuchni czy na Galerii Potraw. Po paru dniach podglądania odważyła się odezwać również na Psychologii i na Życiu Rodzinnym, gdzie już nie nazywała się Janina Rydel, tylko *bardzobarbara*, *kawa_po_południu*, *helagosposia*, a nawet *mojamałajasia*. Fajnie mieć drugie życie, prawda?

– Gdzie jest twoja ślubna sukienka? – Paweł przerwał w końcu ciszę, po kilkunastu chyba dniach zabawy w głuche chowanego.

– Oddałam. Na PCK, dla biednych.

– Oszalałaś? Przecież to była pamiątka.

– Niemodna staroć. Nie lubiłam jej. Chciałam też oddać twoje ślubne spodnie. I tak już ich nie nosisz.

– Ani mi się waż rozporządzać moimi rzeczami.

– Robię to od ponad dwudziestu lat, marnie byś wyglądał, gdybym nimi nie rozporządzała.

– Kobieto, co za diabeł w ciebie wstąpił?! Nie poznaję cię. Przeszłaś już przecież menopauzę, powinnaś być spokojniejsza.

Aż jej się gorąco zrobiło. Zawsze wiedział, gdzie uderzyć.

Janina

Przeczytałem wszystkie twoje posty, napisał do niej na forum niejaki Maniana. *Zaczynam dzień od wpisania kawa_po_południu w wyszukiwarce i czytam. Kim jesteś?*

Nie odpowiedziała od razu. Nie chciała nawiązywać bliskich przyjaźni, z facetem tym bardziej.

Bardzo się pilnowała, żeby na forum być nikim. Albo każdym. Uważała, żeby nie zdradzić wieku ani płci, stanu rodzinnego ani wspomnień.

– Jestem na pewno starsza od ciebie.

– Kocham twoją dojrzałość.

Pierwsze kocham od lat, które dotyczyło właśnie jej. Nosiła je w sobie jak dwustuwatową żarówkę, nawet dziewczyny z kółka zauważyły, że Janina jaśnieje.

Pisali sobie o wszystkim. Zwierzała się, że płacze nad książkami dla dzieci. Albo że nie lubi chodzić do parku za domem, bo często tam widać dwunożnego psa, który ciągnie za sobą resztę korpusu opartą na kółeczkach, a ją ogarnia wtedy gniew na Boga. O tym, że w deszczowy dzień stara się w ogóle nie opuszczać domu, ponieważ boi się wdepnąć w dżdżownicę, która w agonii przyklei jej się do buta i będzie zwisać z podeszwy. Rzeczy, których nigdy nikomu nie mówiła, bo uważała je za nudne i ckliwe. Sprawy, których nigdy nie poruszała na forach, bo wydawały jej się zbyt osobiste.

Nie napisał, ile ma lat.

Ona nie wspominała mu ani o blaszanej misce, ani o kółku grubasów, ani o ślubnej sukience. Ani o Pawle. Delikatnie zamieszczała aluzje, jak wygląda. Napisał, że to dobrze, bo on lubi pulchne dziewczyny.

Kobiety, poprawiła uczciwie.

Poprosił ją o zdjęcie.

Nie miała żadnego w komputerze. Ale nawet gdyby miała… Nie wiedziała, czy chciałaby wystawić go na próbę. Za dobrze się im pisało.

Wieczory z Pawłem przemykały prawie niezauważone. Myślami była gdzie indziej.

Znowu próbował swoich sztuczek, na przykład przy kolacji mówił:

– Za dużo węglowodanów i tłuszczu, za mało białka. Przecież dałem ci broszurkę, żebyś wiedziała, w czym jest białko. Chcesz, żebym zawału dostał?

Mówił? Właściwie nie mówił, mamlał z pełnymi ustami. Nagle zaczęło ją to drażnić. Pomyślała, że patrzy na jedzenie półprzeżute w jego ustach już od trzydziestu lat, od dnia ślubu.

„Nie mówi się z pełnymi ustami", chciała powiedzieć, ale zmilczała. Przeszła do zlewu, żeby pozmywać talerze po zupie.

– Nigdy nie usiądziesz, krzątasz się i krzątasz, ani chwili spokoju… Za bardzo się stresujesz. Stres to prosta droga do zawału. A przecież estrogeny już cię przed nim nie chronią. Przypominam, że jesteś po menopauzie.

„A co, mam siedzieć z tobą i patrzeć, jak mamlasz?", pomyślała, ale postanowiła puścić uwagę mimo uszu. Niech gada. Wcale nie jest taki świetny. Wiele osób to widzi.

– Wykonałaś dwanaście niepotrzebnych ruchów – dodał jeszcze, obserwując ją ze swojego fotela i siorbiąc kawę.

– A ty dwanaście niepotrzebnych dźwięków – wymamrotała pod nosem.

– Słucham? – spytał zaskoczony, ale nie powtórzyła. Na twarzy miała wymalowany bunt. Zauważył i zmilczał.

Janina

W końcu zgodziła się na spotkanie.

Wbiła się w pas obciskający, nową spódnicę. Buty nowe, wysokie, w których łydka napina się, szczupleje. Makijaż. Szła, nienawykła do obcasów, stukając nimi jak dragon. Głupio, przyzwyczaiła się poruszać bezszelestnie.

Czekała na autobus, podziwiając się w szybie przystanku. Wyprężyła pierś. Czuła się, jakby miała grać w jakiejś sztuce. Drugi aktor czekał na nią w kawiarni w centrum.

Zanim przyjechał autobus, wróciła do domu, umyła twarz, zdjęła tę zbroję. Nie będzie jednak nikogo udawać. Siadła przy oknie. Po co niszczyć coś równie delikatnego?

Tchórz! Czego się bała?

Ubrała się w to, co zwykle: sweter, spodnie, cichostępy. Tak będzie uczciwiej. I znowu na przystanek. Tym razem nie przeglądała się w szybie. Lepiej nie.

Kiedy weszła do kawiarni, obrzuciła spojrzeniem wnętrze. Mieli się rozpoznać od razu, mimo że nie opisywali swojego wyglądu. Mieli to poczuć. Komunię dusz, przecież o niczym innym nie było mowy.

Rozglądała się badawczo. Gdzie ten Maniana? Znikąd odzewu.

Nikt na nią nie reagował. Sami młodzi ludzie. Poza jednym panem w średnim wieku, który zaszył się w kącie i czytał gazetę. Nabrała powietrza, wyprostowała się i podeszła do niego. Podniósł na nią wzrok. Patrzył chwilę, po czym się uśmiechnął.

To on!

Jak dobrze, że przekroczył czterdziestkę. Że łysieje. Bała się, że będzie miał dwadzieścia lat i spodnie zwisające na wysokości kolan. A spod tego będą wystawać slipy w jamniczki.

– Maniana? – spytała.

Wyraz zagubienia w małych, szarych oczach. Najwyraźniej nie wiedział, o co chodzi.

Odwróciła się i odeszła. Co za idiotyczna pomyłka.

Do innych nawet nie zagadywała. Głupio jej było od razu wyjść, więc siadła pod ścianą.

Kelnerki ani śladu, dopiero po kilkunastu minutach Janina zorientowała się, że trzeba zamawiać przy barze. Poprosiła o tort bezowy i kawę. Krem w torcie, kawowy, z kawałkami prażonych orzechów włoskich, przyjemnie koił nerwy. Dobrze, że Maniana stchórzył. Po co jej to? Lepszy tort tu, Paweł w domu, dziewczyny na kółku.

Facet, który nie był Manianą, patrzył na nią.

Niech patrzy.

Pochłaniała łapczywie swoje ciasto, z każdym kęsem żałując, że tak szybko go ubywa.

Kiedy zjadła, popatrzyła na brązowawy ślad kremu na granacie talerzyka i przestraszyła się, że kelnerka sprzątnie naczynia. Oddawanie do mycia tego talerzyka byłoby prawdziwym marnotrawstwem. Wysunęła więc palec wskazujący, przeciągnęła nim od niechcenia po talerzyku i wsunęła palec do ust, gdzie dyskretnie wylizała krem do czysta.

Rozejrzała się, czy nikt nie widział. O niech to!

Facet, który udawał, że nie jest Manianą, podszedł do niej.

Położył przed nią wizytówkę. Inżynier jakiś tam. Stał i patrzył. Otarła usta z kremu. I ona wreszcie mu się przyjrzała. Łysawy, niskawy, grubawy, przeciętnawy. Jej Maniana.

Jak we śnie poszła z nim do hotelu.

Zamknął oczy, wtulił się w nią, wąchał, smakował, całował, po czym podniósł powieki i powiedział: „Uwielbiam takie duże ciała".

Jak w powieści.

Zrobili to. A że we dwoje nie mieścili się na łóżku, legli, ściągnąwszy pościel, na dywanie i tylko jej było tam miękko.

Baśka

Janina zmyślała jak wściekła. Naprawdę myślała, że Baśka w to uwierzy? Kochanek z internetu? Akurat. Żaden facet nie chciałby wziąć tego wieloryba po dobroci, na trzeźwo. Janina była zaprzeczeniem erotyki, nie kobietą, lecz matroną kroczącą szybko ku totalnej bezpłciowości starych kobiet. Ponton. Stęchła zawalidroga, a nie pokusa.

– Myślałaś, żeby się z nim związać? Z tym Manianą? – spytała Baśka Janinę, żeby się z nią podrażnić.

– Nie. Przecież to było nierealne.

Zbiła Baśkę z tropu swoją szczerością.

Janina

Po słodkiej godzinie w hotelu Maniana usnął strudzony. Dopiero teraz mogła mu się przyjrzeć. Sapał, zwinięty w kłębek, czasem mruczał albo bulgotał, jak przerośnięte, łysawe niemowlę. Rozczulał ją i brzydził jednocześnie.

To, co robili, było przez jakiś czas rozkoszne, teraz wydawało jej się zbyt dosłowne. Jego nasienie, jego pot, który wysechł na jej ciele, nieznane zapachy, dziwne dźwięki, niespotkane przez nią do tej pory zwyczaje, o których wstyd było myśleć. Tak jak i o tym, że otwierała się na niego, dając do zrozumienia, na co ma ochotę, bez żadnych oporów.

Ale potem rozkazał: „Bądź ciszej!", i całe jej podniecenie błyskawicznie opadło, nagle chciała się wycofać, wiedziała jednak, że on musi skończyć, więc cierpliwie i wielkodusznie czekała. Opadł potem twarzą między jej wielkie piersi. Chrapnął.

Delikatnie sturlała go na bok.

Miał wyblakłą, okrągłą twarz i cienkie, rzednące włosy. Doświadczenie mówiło jej, że żywot resztek jego czupryny jest krótki. Była pewna, że on się tym martwi. To, co zaczesywał za dnia, teraz łagodnie spłynęło na poduszkę. Kilka ciemnych kresek na bieli płótna.

Wiedziała z mejli, że mężczyzna leżący obok niej tęskni za stabilizacją, normalnością, poukładanym światem. Że marzy o codziennym ciepłym obiedzie na stole, długich rozmowach w łóżku, spacerach nad morzem. Tamte słowa poruszały w niej liczne tęsknoty, jego widok nie poruszał w niej nic.

Już tęskniła za widokiem nieprzeczytanych wiadomości od Maniany w swojej skrzynce mejlowej, ale bała się, że po tym, co zrobili, już do siebie nie napiszą. Nigdy.

W każdym razie, po niespodziewanej kulminacji znajomości, ona straciła ochotę na korespondencję.

Zapomniała komórki, a Paweł mógł się o nią niepokoić. Ciekawe, czy gdyby wzięła telefon, mąż zadzwoniłby do niej i zapytał, gdzie się podziewa.

Głupio było wychodzić bez słowa, Maniana jednak trwał w letargu. W kąciku jego ust, tym dolnym, zbierała się kapka śliny. Janina odwróciła wzrok.

Ubrała się cicho, napisała na kartce parę słów, podpisała się odruchowo imieniem i nazwiskiem. Kiedy wyszła na korytarz, drzwi zatrzasnęły się za nią. Szkoda, bo już po chwili chciała zawrócić, żeby zabrać ten liścik. Albo przynajmniej wymazać nazwisko.

Recepcjonista patrzył na nią dziwnym wzrokiem. Najwidoczniej nie wyglądała na bohaterkę romansu. Poszła do taksówki.

Paweł spał, przystojny nawet przez sen, z pogodną, rozluźnioną twarzą, jakby się o nią nie martwił ani przez chwilę. Jemu nic z ust nie kapało.

Przez chwilę żałowała, że nie zostawiła na pożegnalnej kartce numeru telefonu dla Maniany.

A potem zaczęła żałować, że w ogóle zostawiła mu kartkę.

Długo zmywała z siebie to popołudnie, wieczór, noc. Dużo wody, gąbka, szampon. Miała nadzieję, że woda wnika również do środka.

Wróciła w namiociastej koszuli nocnej do sypialni, ale nie potrafiła się położyć obok Pawła, wzięła więc koc i legła na kanapie w salonie. Gapiła się w sufit do czwartej rano, nie umiała jednak znaleźć klucza do swoich uczuć, do myśli.

Obudziła się o dziewiątej. Pawła już nie było. Może i lepiej.

Nogi same ją zaniosły przed komputer. Maniana. Nie zadzwonił, nie napisał. Widać czuli się podobnie.

Wytrzymała dwa dni, w końcu wysłała do niego mejla:

– Dzięki za tamten wieczór. Odezwij się.

Chciała o tym pogadać, a tylko z nim mogła to zrobić.

Nie odpowiedział. Będzie musiała poradzić sobie sama.

Nie umiała się pozbierać.

Poczucie winy ją zżerało, więc nie starczało energii na kretyńską zabawę w chowanego, nie miała już ochoty na samotne godziny w cukierniach, niewidzialne miski ani ukradkowe batoniki. Jadła przy Pawle. W ogóle porzuciła wszelkie przy nim udawanie, wystawiała się cała na jego jadowite uwagi, słuchała ze spuszczoną głową, gdy wspominał o ślubnych spodniach, menopauzie czy nadmiarze kalorii w jej diecie. Karał ją. I słusznie.

Zaczęła gotować warzywa na parze, zupy kremy, mięso z patelni grillowej, zero tłuszczu, zero cukru, pokornie spożywała te nudne posiłki u jego boku, bez żadnej przyjemności. Mimo jej wysiłków wcale nie złagodniał.

– Myślisz, że jeśli raz poprzestaniesz na selerze, to załatwisz tym sprawę diety?

– Widzę, że się wzięłaś za siebie i przestałaś mnie truć. Gratulacje. Cieszę się, że wreszcie dotarło. Po dwudziestu paru latach.

Spuszczała głowę, wystawiając się na słowne biczowanie. Zasłużyła.

– Czy ciebie śmieszy to, co mówię? Moje słowa? – przerwał znienacka którąś z pogadanek o cholesterolu.

– Nie, dlaczego? – Potrząsnęła głową, po czym uświadomiła sobie, że na ustach zastygł jej masochistyczny półuśmiech. Zaraz go zmazała, ale było za późno.

Paweł zaczął przyglądać się jej z nową uwagą, co powodowało, że czuła się jeszcze gorzej. W poniedziałek siadła przy nim posłusznie, żeby obejrzeć jego program. Wpatrywała się w ekran, ale myśli ciągle uciekały gdzie indziej.

– Jesteś taka piękna – mówił tamten, kładąc głowę między jej piersiami. – Taka miękka.

Potrząsała głową, żeby przegonić ten obraz.

Jego usta na jej szyi. Przy jej pępku. Między jej udami.

– Masz jakiś tik? Czy po prostu starcze nawyki?
– jad Pawła, sączony do ucha. – Ciągle trzęsiesz głową.

I popatrzył, czy wystarczająco zabolało. Ale dla niej grzesznej ciągle nie było wystarczająco.

Już zdążyła się pogodzić z milczeniem Maniany, kiedy nagle zatelefonował. Co gorsza, na stacjonarny. Chciał ją widzieć znowu.

– Skąd masz mój domowy numer? – Nie mogła wyjść z szoku, że ją odnalazł.

– Z książki telefonicznej.

– Dlaczego w takim razie nie odpowiadasz na mejle?

Zaskoczyło go to.

– Na jakie mejle?

– Nie udawaj, Maniana.

– Właśnie, już dawno chciałem cię spytać, co znaczy to dziwne słowo.

– Maniana znaczy jutro, symbol latynoskiego luzu. Przecież sam mi o tym pisałeś.

– Kiedy do ciebie pisałem?

Nie mogła zrozumieć, dlaczego on się od tego odżegnuje. Jaki ma w tym cel? W co on gra?

W końcu jednak do niej dotarło.

To nie gra. Po prostu poderwała w kawiarni zupełnie obcego faceta. Ona, Janina Rydel, lat pięćdziesiąt dwa i pół, ponad sto kilo żywej i namiętnej wagi.

I od razu poszła z nim do łóżka.

Odłożyła bez słowa słuchawkę, nie mogąc nadziwić się temu, co zrobiła.

Telefon po chwili odezwał się znowu, jak w jakimś filmie.

A ona, jak w filmie, tym razem nie odebrała.

– Ktoś do ciebie dzwonił. – Paweł miał nieswoją minę. – Jakiś... mężczyzna.

Janina się spłoszyła.

– Czego chciał?

Paweł przyglądał jej się podejrzliwie.

– Rozmawiać z tobą. Był dziwny.

Wzruszyła ramionami, czym się ostatecznie pogrążyła. Do wieczora poruszała się w gęstniejącej sieci spojrzeń Pawła. Dobrze mi tak, myślała.

Jeden plus: ciche dni się skończyły.

Definitywnie. Bo następnego dnia Paweł odważył się:

– Marnie się czuję po tym twoim obiedzie. Pojedź ze mną do telewizji. Mam dziś nagranie.

Spojrzała na niego podejrzliwie.

– Przecież dziś jest czwartek.

– Coś takiego!!! – ironizował.

– Mam po południu kółko tych, no…

– No wiesz? Twoje grubaski ważniejsze niż moje zdrowie?

– Ale co ja mam tam robić? Trzymać cię za rękę?

– Jasiu, tyle chyba możesz dla mnie zrobić.

Kiedy mówił: „Jasiu", brzmiało to dla niej jak zaklęcie. Chyba rzeczywiście z nim źle, pomyślała i pojechała. Nie przedstawił jej nikomu, tylko powiedział:

– Ta pani jest ze mną.

Patrzyła nieuważnie, jak go pacykują, zamazują podkrążone oczy, pudrują, jaki ten mały, zdawałoby się, na ekranie pokoik jest w istocie wielką halą z różnymi dekoracjami, i nawet byłoby to interesujące, bo pierwszy raz znalazła się w środku telewizji, gdyby tak naprawdę myślą nie tkwiła cały czas to przy nie-
-Manianie, to przy kółku grubasów. Dziś Teresa miała opowiadać o swojej pierwszej randce z portalu matrymonialnego...

Paweł nigdy jej na nagrania nie zapraszał.

Taka wielka zmiana pod wpływem wydzwaniającego do Janiny mężczyzny?

Cóż niepokojącego mógł Pawłowi powiedzieć miłośnik grubych kobiet? Janina spuściła wzrok, by obejrzeć sobie skórki przy paznokciach, poszarpane jak zawsze.

I wtedy Pawła trafił szlag. Chwycił się za serce i opadł ciężko na fotel. Jęczał.

Janina ani przez chwilę nie wierzyła, że jej mąż naprawdę ma atak. Była pewna, że to popis z racji jej obecności, kolejna kara, żeby już nie broiła, żeby była taka jak przedtem. Jeszcze przez chwilę siedziała na krzesełku przy kamerzystach i obserwowała, jak Paweł się dusi, trzyma za serce i jęczy.

– Chyba mam zawał – sapnął.

Wstała i podeszła do niego. Kamerzyści zbaranieli. Jeden gapił się jak wmurowany, drugi dalej kręcił.

– Niech pan zadzwoni na pogotowie – poleciła inspicjentowi.

Skoro Paweł symuluje zawał, niech sam się tłumaczy lekarzom, niech płaci za bezpodstawnie wezwaną karetkę. Janina uśmiechnęła się do kamery, jednocześnie rozluźniając Pawłowi krawat. I nagle jakby diabeł w nią wstąpił. Skoro program nie leci na żywo, on się wygłupia, to i ona może.

– Szanowni państwo. Kiedy wasz małżonek nagle złapie się z jękiem za serce i będzie się zwijał z bólu, prawdopodobnie pomyślicie, że dostał zawału serca. I prawdopodobnie będziecie mieć rację. Co robić? Po pierwsze: nie wpadać w panikę. Bo przecież pierwszy zawał po pięćdziesiątce (przepraszam, Pawle, ale widzowie zapewne odgadli, że masz już tyle lat), więc pierwszy zawał po pięćdziesiątce to raczej sygnał przemęczonego organizmu, że zbytnio się forsujemy. W bardzo nielicznych przypadkach kończy się tragicznie, zwłaszcza przy możliwościach dzisiejszej medycyny. Bez paniki więc dzwonimy na pogotowie. W oczekiwaniu na karetkę układamy chorego wygodnie oraz podajemy mu aspirynę na rozrzedzenie krwi, choć idealnie byłoby podać nitroglicerynę, której ja niestety nie mam, bo mój mąż był do tej pory zdrowy.

Kamerzysta wygrzebał fiolkę z kieszeni.

– O, dziękuję panu.

Janina zbliżyła fiolkę do ust Pawła i była pewna, że odmówi wzięcia pastylki, przecież symulował. Ale jej mąż tylko otworzył usta. Położyła mu pastylkę pod język.

– Z tego wniosek, że zawsze warto zapytać, czy ktoś w pobliżu nie ma nitrogliceryny przy sobie – ciągnęła ze swadą. – Czekamy na karetkę, więc dobrze rozluźnić ubranie chorego, położyć na serce zimny kompres – zdjęła swoją apaszkę, polała wodą z karafki, położyła Pawłowi na sercu. – I mówić do niego, żeby nie odszedł w ciemny tunel. Pawle, jadałeś tylko zdrowe rzeczy, chodziłeś na siłownię, ale nie wiedzieć czemu dostałeś zawału. Może to stres? Stres też powoduje zwężenie tętnic... Po co się denerwowałeś byle czym? Po co zagryzałeś zęby i piąłeś się do góry? A oto i lekarz, sanitariusze, pojadę za nimi do szpitala, więc na razie do widzenia państwu.

Mając poczucie uczestnictwa w wielkim wygłupie, wsiadła do taksówki i pojechała za karetką. Chciała powiedzieć lekarzom, że Paweł tylko udaje, by ją przywołać do porządku, ale liczyła, że sami się zorientują. Nie zorientowali się, przeciwnie, podłączali tlen, kroplówki, elektrody. Dopiero wtedy do niej dotarło, że specjalistów chybaby nie nabrał, ani całej tej piekielnej maszynerii. Więc to nie wy-głup.

Nagle poczuła strach. Siedziała na korytarzu, oglądając Pawła przez szybę, dziwnie małego, sza-rego na twarzy, oklejonego rurkami, aż w końcu le-karz kazał jej iść do domu. Poszła, zgięta pod cięża-rem poczucia winy za swoją błazenadę w telewizji. Za zdradę. Za coś w rodzaju orgazmu. Za nie-Mania-nę. Za bezczelny bunt nad blaszaną miską.

Baśka już spała, Janina nie wiedziała, ile do niej dotarło. Posapywała przez sen i przebierała nogami, jakby przed czymś uciekała, a kołdra falowała jak spadochron.

Szczęściara.

Janina była pewna, że ona dzisiaj nie zaśnie.

Baśka

Przy wtórze opowieści Janiny, opowieści pełnej je-dzenia, zaskoczeń i buntu, który nie wiedzieć czemu troszkę ją nawet wzruszył, przyśniła się jej Florencja.

Znowu Włochy.

Zamarła ze strachu, ale po chwili odzyskała ani-musz. Szła we śnie przez Ponte Vecchio, potem w prawo, do Galerii Uffizi, ale demona ciągle nie było. Rozglądała się na wszystkie strony, patrzyła na boki, a nawet – ostrożnie – za siebie, w podcienia. Nic.

– A więc pokonałam Upiora, dzięki temu, że już się nie boję – rozluźniła się i postanowiła, że nie będzie krążyć po renesansowych uliczkach, tylko skoczy gdzieś na kawę. A skoro to sen, to nawet i na tiramisu albo inny deser, którego tak się strzegła na jawie, za którym na jawie tęskniła. Weszła do kawiarni, przyjrzała się ciastkom w bufecie. Ciekawe, czy istnieją takie jak to puchate z wiśniami, z kulą bitej śmietany posypanej kakao? Zastanawiała się, czy może po prostu wsunąć rękę za bufet, palcem nabrać trochę śmietany i liznąć? Czy zostanie za to we śnie skarcona? Przez śnioną kelnerkę?

Nieśmiało wysunęła palec. Po czym zdecydowała: zrobi to.

I wtedy poczuła na plecach JEJ wzrok. No tak. Zastygła, z palcem groteskowo wyciągniętym w kierunku ciastka. Chciała się spotkać ze swoim Upiorem, ale wtedy, gdy w bojowym nastroju krążyła nad rzeką Arno, a nie teraz, kiedy rozluźniona połakomiła się na trochę śmietany.

I jak tu spojrzeć Upiorowi w oczy, skoro sama siebie się wstydzi. Dużym łukiem, omijając miejsce, gdzie siedział demon, nie patrząc w tamtą stronę, ślizgając się dłonią po ścianie kawiarni, Baśka dotarła do wyjścia, wybiegła przez drzwi, pobiegła przez plac. I nie minęło nawet trzydzieści śnionych sekund (bo ciągle nie wiedziała, czy czas we śnie jest czasem rzeczywistym, czy raczej filmowym, co się ściąga i rozciąga jak harmonia, w zależności od tempa zdarzeń), kiedy usłyszała za sobą nienawistny stukot obcasów.

Znowu szła przez Ponte Vecchio i dalej, w kierunku Palazzo Pitti, aż wpadła na pomysł: tuż obok była uliczka kryta nierównym brukiem, ciekawe, jak TAMTA poradzi sobie w szpilkach. Baśka skręciła. Stukot na chwilę umilkł, widać demon opracowywał technologię, ale potem miarowy marsz znowu rozległ się za jej plecami. I to najbardziej zirytowało Baśkę. Ona sama, nawet niematerialna, ślizgała się po granitowym bruku, a upiór szedł równym krokiem, jak jakaś pieprzona Florence Griffith-Joyner albo inna biegaczka, mimo że w szpilkach.

– Spojrzę przynajmniej – postanowiła Baśka – jakim cudem ona się nie ślizga po kamieniach. Czy gapi się w ziemię, żeby się nie wykopyrtnąć? Spojrzę w te jej zimne gałki i wrzasnę: Odczep się, przestań za mną łazić!

Przeraziła się tej myśli tak strasznie, że nie zwracając uwagi na śnionych przechodniów, zaczęła przeraźliwie wrzeszczeć.

– Jasia! Jasia! Jasia! – wołała pomocy z samych głębin snu, żeby ktoś z nią był, zasłonił wielkim ciałem, zatkał jej uszy, uratował. Janina – baba piec,

Janina – ciepło i bezpieczeństwo, Janina – ponton w odmętach.

– Cii, jestem, jestem tutaj – docierały do Baśki słowa z innego świata. – Jestem, jestem – słychać było Janinę, coraz ciszej jednak.

Ukojenie. Śniony spokój.

Baśka spała. Szła po florenckim bruku. Znowu słyszała za sobą stukanie kroków Upiora.

Stanęła, odwróciła głowę. Spojrzała. Pięć metrów za nią kroczyła wysoka postać w szarym płaszczu, kobieta o twarzy skądś znajomej. Nie patrzyła na Baśkę, tylko gdzieś ponad jej głową, w przestrzeń. Zrobiła jeszcze dwa kroki siłą rozpędu, aż stanęła. Znienawidzony stukot ustał. Baśka usiłowała złowić stalowe spojrzenie, postać jednak wpatrywała się uparcie w coś tuż nad jej głową. Spod długiej szaty nie było widać butów.

Cisza się przeciągała, Baśka nabierała odwagi, bo nie działo się nic strasznego. Dlaczego baba mnie ignoruje, zastanawiała się Baśka i wzbierała w niej wściekłość.

– Odejdź! Zostaw mnie! Ty dziwko, suko szara! Strachu pierdolony!

Dlaczego za nią chodziła tyle lat?! Co chciała zrobić, gdyby ją dogoniła?! Zabić? To się już udało, przecież nieraz umierała w czasie tej ucieczki. Uderzyć? Powiedzieć coś? Coś ważnego? Po co łaziła, skoro teraz stoi, milczy i gapi się szarymi guzikami oczu w niebo?

Nagle szara baba odwróciła się na pięcie i od-
maszerowała. Szybkim, równym krokiem skręciła
za róg. Baśka ruszyła w pogoń, ale gdy dopadła rogu,
nikogo już nie zobaczyła, nie usłyszała też zimnego,
nieuchronnego stukania szpilek.

– Basiu, obudź się, śnisz jakiś koszmar, Basiu.
– Janina tarmosiła jej ramię przez kołdrę.

Obudziła się z triumfem i niedosytem, przez chwilę nie wiedząc, czy to dom wczasowy, czy Florencja,
gdzie stanęła do walki i wygrała bez pojedynku.

Janina pachniała stęchlizną i była samym współczuciem, macierzyńskie balony zwisały na wysokości
pasa pod poprzecieraną koszulą w kwiatki.

– Po co mnie budziłaś?! – Baśka oblizała spieczo-
ne usta. – Miałam taki piękny sen.

Janina

– Krzyczałaś, wołałaś mnie – tłumaczyła.

Wzruszyło ją, że Baśka, nękana we śnie, szukała
pomocy właśnie u niej.

– Prosił cię kto? – warknęła.

Do tej kobiety naprawdę trudno się było zbliżyć,
zawsze zdążyła znienacka wysunąć kolec jadowy.

– Strasznie się męczyłaś, było widać – tłumaczyła
Janina, jakby to ona była czemuś winna. Całe życie
się komuś tłumaczy.

– Teraz nie zasnę. I cały dzień będę chodzić wściekła.

– Jak zwykle – nie wytrzymała Janina.

Baśka spojrzała na nią zaskoczona i nieoczekiwanie złagodniała.

– Spróbujmy jeszcze pospać. – Przeciągnęła się i spojrzała na ekran komórki, żeby sprawdzić, która godzina. – Ktoś mi niedawno przysłał esemesa – zdziwiła się.

Janina, wyrwana ze snu o trzeciej w nocy, i to wyrwana na próżno, zlekceważona ze swoją pomocą, czuła się oszukana, rozdrażniona. Miała głęboko gdzieś Baśki komórki, esemesy, koszmary oraz wrzaski.

– To mój mąż – wyjąkała przestraszona Baśka. – Chce tu przyjechać.

– Ty masz męża?

– Miałam – odpowiedziała Baśka.

Baśka

Czas po odejściu Michała.

Łóżko, pustka.

Trzeciego dnia wpadła Julita. W pracy powiedzieli jej, że Baśka jest chora, zaniepokoiła się, że nie odbiera telefonów.

Próbowała pocieszyć, wyciągnąć na zwierzenia. Ale Baśka odpowiadała jej gapieniem się w okno.

Milczeniem. Julita chciała ją przytulić, ale ponieważ śmierdziała mlekiem, matka karmiąca, Baśka trwała sztywno przy jej biuście, starając się nie oddychać. Julita uznała więc, że Baśka jest ponad normę nie-swoja, więc co prędzej (maleńkie dziecko w domu) zawlokła ją do lekarza, gdzie Baśce wypisano zwol-nienie na depresję („Nie mam depresji", protesto-wała głosem robota) i przepisano pastylki na lepszy humor, który miał się zrodzić dzięki unormowaniu chemii mózgu. Potem posadziła ją w knajpie i kazała zjeść obiad, żeby nie łykała tabletek na pusty żołą-dek. Baśka wcisnęła w siebie pół kotleta, żeby już tylko iść do domu. Nie chciała wzbudzać litości. Ale wzbudzała. Porzucona kobieta jest żałosna.

Wreszcie Julita odtransportowała ją do domu i zo-stawiła w prezencie szarlotkę, która leżała na blacie, wydzielając woń cynamonu jak ciastka z maminej cu-kierni. Baśka położyła się w ubraniu do łóżka, na le-wym boku, i gapiła na drzewa za oknem, aż zasnuł je mrok. Cynamon pachniał przygnębiająco. Mama dzwoniła, ale Baśka nie odbierała, pisała tylko eseme-sy, że nie może teraz rozmawiać i że u niej wszystko w porządku.

Julita zostawiła obok łóżka butelkę wody i pastyl-ki. Baśka łykała po jednej, gdy jej się przypomnia-ło. Telefon dzwonił coraz rzadziej. Po jakimś czasie znowu wpadła Julita, wyrzuciła spleśniałą szarlotkę, zdenerwowała się, że Baśka nic nie je, że wygląda koszmarnie. To Baśkę ożywiło. Poczłapała do lustra. W pierwszej chwili nie poznała tej wynędzniałej, starej kobiety. Potem odwróciła się od niej i rozejrzała po dziwnie pustym mieszkaniu. Szlafroka Michała też nie było.

Już chciała wrócić do łóżka, ale Julita zatrzymała ją przy stole, postawiła przed nią obiad, poprosiła, żeby wzięła się w garść. Potem, kiedy Baśka zwracała ukradkiem obiad w toalecie, pozmywała i zostawiła w kuchni kolejne ciasto, tym razem pachnące wanilią. Musiała lecieć do dziecka.

Baśka nie wiedziała, po ilu dniach zwlokła się z łóżka. Zakręciło jej się w głowie. Odczekała chwilę, trzymając się kuchennego blatu. Odkroiła pleśń z ciasta od Julity, a resztę zjadła. Od razu poczuła się lepiej.

Ubrała się. Wszystko z niej spadało.

Szła ulicą jak zombi, ludzie oglądali się ze współczuciem. Zjadła obiad w pobliskim barze, a potem siedziała na ławce, wystawiając twarz ku słońcu. Wracając, kupiła w cukierni szarlotkę, pachnącą cynamonem jak ciasto od Julity, którym wzgardziła. Zjadła i poczuła się lepiej. Prawie dobrze.

Rankami nadal nie wiedziała, co ze sobą zrobić. Leżała w łóżku zdezorientowana, wytrącona ze zwykłego rytmu: budzenie – przyrządzanie dietetycznego śniadania – prasowanie koszuli i bluzki – układanie włosów – siadanie na miejscu pasażera w samochodzie – podróż do pracy. Teraz nie było Michała, samochodu ani pracy, z której dostała zwolnienie na depresję, co miesiąc przedłużane, i wiedziała, że gdy się skończy, nie będzie miała po co wracać. Dzień po odejściu męża zaczynał się nijako, toczył bez sensu, by dobrnąć do pustego wieczoru.

Dopiero po jakimś czasie wpadła na pomysł, że można przecież wyjść do sklepu. Z pilnością, jakiej przedtem nie przejawiała, ubierała się starannie, malowała. Bywało, że nawet i włosy umyła, zanim poszła rano po ciepłe francuskie rogaliki, świeżą osełkę masła, pomarańcze na sok, gazetę, chcąc rytuałem zabić nicość. Nigdy przedtem nie jadała rogalików, wiedząc, że ich wartość kaloryczna znacznie przewyższa wartość smakową. A teraz każdy okruszek francuskiego ciasta na talerzu ścigała poślinionym palcem, przedłużając śniadanie, żeby jak najpóźniej stawić czoło pustce dnia.

Godziny bez drogowskazów, bała się ich. Celebrowała więc słanie łóżka, odkurzanie, wrzucanie do pralki, wieszanie, gotowanie zdrowego i smacznego obiadu dla jednej osoby, deser, sowity deser przy telewizji, udającej towarzystwo. Bała się chwili, kiedy już wszystko wykrząta, siądzie na fotelu i spojrzy w przepaść z napisem: „I co tu teraz ze sobą zrobić?".

Pisała plany dnia wieczorem, żeby rano mieć kompas i się nie zgubić. Bo gubiła się strasznie, błądziła w rzeczywistości, w której wszystkie pewniki poupadały jak kręgle.

– Z nami chyba już koniec.

Zaskoczył ją.

Jak to: „koniec"? Przecież jestem taka szczupła? Ładna? Zadbana?

Zelektryzował ją esemes od Michała. Co mu strzeliło do głowy? Do rozprawy rozwodowej jeszcze chwila, nie ma powodu, żeby się spotykać. I to na wczasach odchudzających. Rano mu odpisała: „Jestem tu zajęta od rana do wieczora, nie znajdę dla ciebie czasu, spotkajmy się w Warszawie, jak wrócę".

Odpowiedział: „Jestem w drodze".

Wpadła w panikę. Nie powinien jej oglądać grubej, nie ma mowy.

Nie wyglądała przecież dużo lepiej niż miesiąc temu.

– Boże, coś ty ze sobą zrobiła?! – krzyknęła wtedy mama, która wpadła do niej znienacka, żeby sprawdzić, dlaczego Baśka nie odbiera telefonu.

Patrzyła na córkę, na jej trzeszczące w szwach legginsy i wielką bluzkę, która nie była w stanie niczego z jej nowo nabytych kilogramów ukryć. Brzuch zmienił tożsamość. Już nie był napiętą, na brązowo opaloną piłeczką, tylko magmą domagającą się niezależności i samostanowienia.

Ona też nie potrafiła zaakceptować tej nowej (od paru miesięcy), grubej siebie. W lustrze nakładały się dwa obrazy: dawna Baśka, ta właściwa, i obecny mutant, groteskowo napuchnięty, pofałdowany w przedziwnych miejscach, który opanował jej ciało.

I chociaż przeganiała mutanta postami, postanowieniami, że od jutra, odmawianiem sobie węglowodanów, odsuwaniem tłuszczów, to zawsze w końcu dochodził do głosu. Zatrzymywał ją przy ulubionym barze na kotleta schabowego, kazał kupować pączka w nagłym głodowym skurczu żołądka. Ulegała mu na chwilę, a wieczorem ponownie podejmowała walkę, przez godzinę ćwicząc brzuszki lub ramiona z ciężarkami. Ale mutant, rozdrażniony ćwiczeniami, znowu domagał się jedzenia i popychał ją do lodówki.

Albo zmuszał do szperania po szafkach, węszenia za ostatnią, zapomnianą czekoladką, pospiesznego rozrywania wyszarzałego papierka, wpychania słodyczy do ust. Baśce czekoladka nie smakowała, ale mutant nie dawał jej wypluć do sedesu, kazał ładnie pogryźć, połknąć, pokazać buzię:

– Wszystko zjadłaś?

To silniejsze ode mnie, myślała Baśka, gdy siedziała z brzuchem wzdętym od żarcia, które wepchnęła w siebie wieczorem po całym dniu postu.

Istotnie, mutant, wykarmiony kalorycznie i obficie, stawał się powoli silniejszy od niej. Przyjechała na wczasy odchudzające z nadzieją, że tu zdechnie. Mutant, nie ona.

Janina

Stała przed łazienkowym lustrem i rozrzutnie nakładała błękitny cień na powieki. Na przekór Pawłowi. A masz.

A teraz tusz. Rzęsy się pozlepiały. Wyciągnęła igłę z kosmetyczki i dalejże je rozdzielać.

Baśka kręciła się niespokojnie pod drzwiami łazienki. Zaraz, chwilkę, dziewczyno, nie jesteś sama na świecie. Spojrzała na siebie. Dwa błękitne oczodoły w morzu pąsów. Dlaczego od rana jest taka czerwona?

Baśka nie wytrzymała, zapukała w drzwi. Nareszcie jakaś interakcja. Ustąpić czy czekać, aż coś powie? Baśka wiecznie milcząca?

Na jej wczorajszą opowieść Baśka wcale nie zareagowała własnymi zwierzeniami, ale słuchała uważnie, pochrząkiwała i potakiwała we właściwych miejscach. Jakby spod jeżozwierza na chwilę pokazał się człowiek.

Oj, bo się dziewczyna zsiusia.

Wyszła. Baśka obejrzała ją jak pająka pod mikroskopem.

Janina zamachała rzęsami.

– W sam raz na marszobieg, no nie?

Baśka posłała jej cień krzywego uśmiechu i znikła za białymi drzwiami.

Janinie znowu zrobiło się nieswojo.

Dwa kroki w przód i jeden do tyłu: taka była jej współlokatorka. Jednak nieznośna.

Baśka, przejęta zbliżającą się wizytą męża, nadal urzędowała w łazience, Janina sama zeszła na śniadanie. Zapach kapusty, unoszący się nieustająco w jadalni, odbierał siły.

Na śniadanie surówki, a jakże, ale i nieumiejętnie gotowane jaja, żółtko w niebieskiej obwódce. Na tych wczasach, jak nigdy w życiu, Janina nie smakowała, tylko się odżywiała. Nie najlepiej się z tym czuła. Takie jedzenie mało syciło.

Ale bez Baśki u boku, pełnej milczących pretensji, atmosfera przy stole od razu zrobiła się bardziej przyjazna.

– Nienawidzę wstawać z łóżka, gdy czeka na mnie takie śniadanie – pożaliła się Janina.

– Ja też nie. Daliby rogalika – od razu podchwyciły dziewczyny.

– Albo jajko po wiedeńsku. Ze świeżym chlebem na zakwasie, pieczonym w domu – rozwijała się Janina.

– Umiesz robić takie rzeczy? – zainteresowała się któraś.

Janina wzruszyła ramionami.

– Nie tylko takie.

– Też pytanie – skomentowała Ania. – Przecież to ona gotuje w programie. Nasza gwiazda. Jasia, już dawno chciałam cię spytać: jak się dostać do telewizji? Ja zawsze o tym marzyłam. Nawet zgłosiłam się do *Ugotowanych*, ale jeszcze nie dali mi odpowiedzi.

– Jak się dostać do telewizji? – powtórzyła Janina. – Przypadkiem trafiłam w zapotrzebowanie. Ładnych lalek mieli już dość, potrzebowali grubej mateczki. A ja właśnie chciałam coś zmienić w życiu.

– Czyli jak wszędzie: miałaś szczęście – podsumowała Ania.

– Szczęście? – zamyśliła się Janina.

Janina

Następnego ranka po zawale serca Pawła zadzwonił telefon. Obudził ją. Nie mogła sobie darować, że godzina dziewiąta na zegarze, a ona śpi jak zabita, gdy nie wiadomo, co się dzieje z jej mężem.

Przestraszyła się, że usłyszy jakąś niedobrą wiadomość, dopiero po dłuższej chwili zrozumiała, że nie dzwonią ze szpitala, tylko z telewizji. Proponowali jej próbne nagranie do programu popularyzatorskiego o medycynie. Gawędy, anegdoty, demonstracje, goście – co będzie chciała. Bardzo im się podobał jej

wczorajszy występ, miałaby więc dla siebie dwadzieścia minut co dwa tygodnie, tekst musiałby konsulto-
wać lekarz. Może to być jej mąż, oczywiście.

– On jest chory, w szpitalu, chyba państwo zauważyli.

Zauważyli i zdrowia życzą.

– Przykro nam – skwitowali jej „o mało co nie
umarł".

Odłożyła słuchawkę. Na pewno ktoś sobie z niej
żartuje. Nie ma w telewizji takich idiotów, którzy by
ją chcieli do programu.

Zadzwoniła do szpitala. Z Pawłem było lepiej, naczynia krwionośne zostały przepchane, wyniki badań
miał niezłe. Pojechała, ale nie wpuścili jej na OIOM,
więc znowu patrzyła na niego przez szybkę. Spał.

W domu wysprzątała mieszkanie. Gotować nie
miała ochoty. Wyjęła z pawlacza sezamki na czarną
godzinę, ale osiągnęła tylko tyle, że ziarenka powcho-
dziły jej między zęby.

Telefon znowu się odezwał. Odebrała, operując
językiem w szparach między zębami. Ci z telewizji
zaprosili ją na próbne nagranie.

Miała poczucie, że jej popis w telewizji, jak i jej
obecne życie, to występ w przedstawieniu. Musi się
nawygłupiać maksymalnie, zanim wszystko wróci
do normy. A dzięki nieobecności Pawła wydawało jej się, że jest na wakacjach. Samotnych wakacjach.

Na próbnym nagraniu zaprosiła do udziału w zabawie inspicjenta, powtórzyła numer z mokrą apaszką, zademonstrowała wszystkie objawy na sobie, pokazując, jak jej braknie tchu, opowiedziała, co jadł jej dziadek, zanim dostał zawału, a co musiałby zrobić, żeby się przed nim uchronić. Na koniec wyjęła z torby smalec, masło, wieprzową łopatkę i zgarnęła je z biurka do psiej miski z napisem „Bobik".

– Jeśli chcecie państwo być zdrowi, musicie zapomnieć o tych produktach – powiedziała. – Natomiast psu one nie zaszkodzą. No, ale on ma inną przemianę materii.

Wyjęła oliwę z oliwek, minipomidorki, torbę kaszy i przytuliła je do piersi.

– To są przyjaciele zdrowego serca. Nadmierna tusza też jest niebezpieczna, taka jak moja, ale o mnie, drodzy państwo, nie musicie się martwić: kobiety są dużo odporniejsze na choroby serca niż mężczyźni, dzięki hormonom. Wprawdzie panie po menopauzie po kilku latach mają z tym podobne problemy jak panowie, ale wbrew temu, co sądzi mój mąż, ja do tej grupy jeszcze nie należę – zachichotała.

Producent powiedział:

– Brawo. Myślę, że ma pani ten program.

Zanim Paweł wrócił ze szpitala, nakręciła pierwszy odcinek.

Przyjęcie przed emisją próbnego odcinka było naprawdę wystawne. Wprawdzie forma nieco przerastała treść, bo na stołach bankietowych więcej miejsca zajmowały ikebany i holenderskie piramidy owoców, ale to jedzenie, które zmieściło się pośród dekoracji, było smaczne. I na pewno robione niedawno. Sama dała parę przepisów firmie cateringowej, kiedy usłyszała ich ubogą propozycję menu.

Zaniosła talerzyk z sałatkami Pawłowi, który siedział bez ruchu w kącie. Spojrzał na jedzenie, pokiwał głową i zaczął jeść, ale jakoś tak mechanicznie. Postała chwilę przy nim, ale nie zwracał na nią uwagi, więc podeszła do ekipy i zaczęła się zaśmiewać z panią reżyser. Była to fajna, wesoła dziewczyna, młodsza od niej mniej więcej o połowę.

– Którą sałatkę pani poleca? – zagadnął ją operator.

Spojrzała na niego zaskoczona, że młodemu chce się z nią rozmawiać.

– Tamtą, zieloną, proszę się nie krzywić, cykoria, awokado i kiwi oraz musztarda z całymi ziarnami gorczycy – doradziła. – Nie pożałuje pan, naprawdę. Miałabym tylko pewne zastrzeżenia co do oliwy, której dodali.

Operator nieufnie spróbował sałatki, ale po chwili błogość rozlała się po jego twarzy. Tak, Janina była pewna, ten zestaw podbije każdego.

– Pani naprawdę czuje tę oliwę? Zawsze myślałem, że to tylko takie burżujskie gadanie.

– Myślę, że bez problemu zauważyłby pan różnicę,
gdybym obie przed panem postawiła.

Po czym rozgadała się o rodzajach oliwy, a on naprawdę jej słuchał.

Jej pierwszy program. Patrzyła na siebie na ekranie i nie rozpoznawała tej korpulentnej paniusi, nie
czuła się nią, tymi balonami piersi, czerwonymi pla-
mami na dekolcie. Matrona jakaś, choć może i miła,
pocieszała się. I wymalowana, bo też charakteryza-
torka pracowała nad jej twarzą przez kilkadziesiąt
minut, a stylistka przez drugie tyle dobierała jej po-
wiewny, kolorowy strój. Mimo tych wysiłków Janina nie spodobała się sobie w ogóle. Boże, nie miała
pojęcia, że jest aż tak ogromna, tak wiekowa... Ale
w telewizji chwalili, że właśnie kogoś takiego potrzebowali. Dziewczyny z kółka gratulowały.

– To wyście mnie taką widziały? – dziwowała się
po cichu.

Strasznie nie chciała, żeby i Paweł ją zobaczył.
Nie chodziło tylko o to, że uzurpatorka, ale i o to, że
stara, wielka z niej baba. Zobaczył jednak.

I nic nie powiedział.

Odetchnęłaby z ulgą, gdyby nie to, że w ogóle mówił niewiele, odkąd wrócił ze szpitala i dowiedział

się, że już nie ma pracy w programie medycznym. Siedział sobie gdzieś z boku, czytał, patrzył w telewizor, a często po prostu patrzył. Gdzieś przed siebie.

Głupio jej było. Zabrała mu to, co cieszyło go najbardziej. Starała się nie epatować tą swoją pracą, ale na planie rozkwitała. Bawiła się jak nigdy wcześniej. Mnóstwo osób jej słuchało. Cała Polska. No, prawie. Jakiś milion, ale podobno jak na to pasmo wynik był całkiem niezły. Na pewno lepszy niż u Pawła.

Nie powiedziała mu tego, ale nosiła w środku grzejącą od środka tajemnicę. Jest w czymś dobra. Jest w czymś od niego lepsza.

Zrezygnowała z blaszanej miski na parapecie, jadła przy nim. Zresztą nie bardzo mogłaby się z tym kryć, bo właściwie bez przerwy siedział w kuchni. Milczał. Niczego już od niej nie wymagał, nie padało ani słowo o białku ani tłuszczu, w ogóle niewiele słów padało.

Lekarz, kiedy zobaczył Pawła, od razu przedłużył mu L4 na uczelnię. I zapisał pastylki antydepresyjne. Janina pilnowała, żeby je brał co rano. Łykał, bez entuzjazmu, ale i bez protestów, jak wszystko, co robił ostatnio.

Starała się jednak, stawiała przed nim i przed sobą zupę, potem drugie. Rzadko zanurzał łyżkę, a nawet jeśli, to nie docierał do dna, chudł i szarzał coraz bardziej. Ona – owszem – jadła, trochę demonstracyjnie, ale potem przestała przybierać pozę.

Nie tęskniła za dawnym Pawłem, ale i ten jej szczęścia nie dawał.

Baśka

Michał musiał być już blisko.

Że też mu się chciało jechać kilkaset kilometrów na Wybrzeże. Specjalnie do niej. Po co? Wcale go nie znała.

Trwała przy oknie wczasowego pokoju, ale w myślach wróciła do warszawskiego mieszkania, zaglądała we wszystkie kąty. Mieszkanie po jego babci, trzypokojowe, urządzali je razem. Duże lustra: w przedpokoju, w sypialni, w łazience. To w nich dokonywała codziennych oględzin ciała. Nago. W ubraniu. Gdy tak patrzyła, lubił stanąć za nią, przytulić, przygarnąć gestem właściciela i wlepić oczy w jej odbicie, w ich odbicie, ruchome zdjęcie, film. Film o panu, niezbyt ciekawym z wyglądu, i jego rasowej zdobyczy.

Komoda. Tu wszystko miał poukładane, tylko zdjęć z kumplami tyle, że się wysypywały z pudełek, z albumów.

Lodówka. Pełno wędlin i musztardy, lubił jeść, ale na ogół przy Baśce się powstrzymywał. Z tego wynikało, no, musiało wynikać, że… No że ją kochał. Skoro dbał, by nie ranić jej uczuć.

Łazienka. Liczne kuracje na wypadające włosy. I dziesiątki jej kosmetyków.

Wreszcie łóżko. Raj utracony. Purpurowa, lśniąca kapa. Pościel, często zmieniana przez Michała, zawsze satynowa. Śliska, chłodna, błyszcząca. Tak, pomyślała, lubił seks. Ona też lubiła. Kiedyś, gdy się poznali. Ciekawiło ją wszystko, co z tym związane, na początku kompletnie dla niej nowe, każdy kawałek jej ciała dotknięty, wielbiony. Ale przecież przeszło, spowszedniało, wypaliło się.

Ściany pełne obrazów – dużo wydawał na grafiki. Tęsknił za pięknem. Ona i obrazy. Zostawił to wszystko. Miał dość ozdabiania swojego życia czy też dawał jej do zrozumienia, że zaraz wróci?

Wreszcie wyjście z mieszkania. Dużo zamków w drzwiach, Michał testował kolejne zabezpieczenia. Bał się, że straci to, co osiągnął?

Przerażający sygnał esemesa. Michał już na dole. O Boże.

Brzuch ją bolał ze strachu. Ścisnęła go majtkami wyszczuplającymi, osłoniła luźną bluzką. Ale to wszystko mało, mało. Za wcześnie przyjechał, jeszcze się nie doprowadziła do porządku.

Układała sobie scenariusze rozmowy, jeden gorszy od drugiego.

– Strasznie przytyłaś – pewnie powie, musi powiedzieć. – Na ulicy bym cię nie poznał.

Baśka po szczeniacku odda cios:

– A ty wyłysiałeś.

Wtedy on się wyprostuje, żeby nie widziała tego, co ma na czubku głowy. Będzie się bronił:

– Łysina świadczy o dużej ilości hormonów męskich. Natomiast twoja figura zależy wyłącznie od ciebie. Nie trzeba być grubą w tym wieku, w żadnym wieku, spójrzmy na Goldie Hawn. Na Cher. Albo chociażby na Ewę Minge.

– Oj, widzę, że polubiłeś portale plotkarskie – skomentuje Baśka. – Spójrzmy na miliony zwykłych kobiet. Albo w ogóle nie patrzmy na nikogo, tylko na siebie.

Tak mu powie. Patrzmy na siebie.

Ale mimo wszystko zastanawiała się, jak uciec przed sobą. Zostawiając zbędne dziesięć kilogramów, żeby jej nie dogoniły, zostały gdzieś przy drodze, śmierdząc stęchłym sadłem. Ociosać, co wystaje, strząsnąć z siebie te opony, wycisnąć nadmierny tłuszcz jak wielkiego wągra.

Jak najszybciej, zanim mąż ją zobaczy.

Janina

Wyszła z jadalni do holu i... Nie, to nie mogła być prawda... Stanęła za kolumną i wpatrywała się w przybysza. Obcy, w miejskich ubraniach, ze świata. Nie jak oni, one wszystkie tutaj, w dresach, w sportowych butach, w wiecznym biegu. Łysiejący, niewysoki, zaokrąglony.

Już go kiedyś widziała, z bliska. Z bardzo bliska.

A przecież bała się, że jeśli się spotkają przypadkiem na ulicy, to go nie rozpozna. Raz – bo nie wyróżniał się niczym szczególnym. Dwa – bo tak bardzo starała się go wyrzucić z pamięci.

Ale się nie udało. Nie-Maniana ją znalazł.

Jeszcze jej nie zauważył. Wpatrywała się w jego łysinkę prześwitującą spod ciemnych włosów, zgarbione lekko plecy, kurtkę i torbę, które wtedy, w hotelu, rzucił na dywan.

Czego od niej chce? Po co ją śledzi?

Już od dawna o nim nie marzyła, przygnieciona poczuciem winy, zgnębiona z powodu odejścia Pawła. Nie chciała oglądać nie-Maniany, który widział ją nagą, dotykał jej ud, piersi, a potem nękał telefonami. Tymczasem on chciał. Tak bardzo, że aż odnalazł ją tutaj, nad morzem.

Zdębieją te dzierlatki, Baśka zwariuje z zazdrości i zadziwienia, kiedy zobaczy, jak bardzo ktoś Janinę pokochał, przejechał pół Polski, żeby teraz czekać na nią w holu, niecierpliwie przestępując z nogi na nogę.

Podejdzie do niego. Pocałują się. W policzek, w usta? Przytuleni pójdą na spacer. Albo do pokoju hotelowego. Nie, tam siedzi Baśka. Ale mało tu hoteli? Mogą iść gdziekolwiek. Wtedy on zedrze z niej wielki dres, stanik dwugarbny, ciepłe majty i powali na brudną wykładzinę dywanową.

Powinna zmienić bieliznę na bardziej wyjściową.

Nie! Nie chce z nim być. I nigdzie z nim nie pójdzie.

Zadał sobie tyle trudu, żeby ją odnaleźć, żeby tu dojechać, żeby przyczesać na bok czarne włoski ukrywające łysinkę i czekać, popatrując co chwila na zegarek, jakby się z nią tutaj umówił. Nie miała pojęcia, że jest godna takich starań.

Już widziała głupią minę Baśki.

– To nie zależy od figury, laleczko – zatriumfuje Janina. – Po prostu trzeba mieć to coś.

Nie-Maniana znowu dotknie ogromnych piersi Janiny, jej wielkiego brzucha. A potem ona będzie miała o kogo dbać.

Triumfowała przez chwilę, zanim znowu pomyślała o Pawle. Czy związek, który zaczął się od wiarołomstwa, może być szczęśliwy?

Przemknęła za kolumną, za plecami nie-Maniany i dopadła drzwi wyjściowych. Zachłysnęła się powietrzem ostrym jak papryczka chili; ruszyła nad morze. Z każdym krokiem myśli uładzały się coraz bardziej.

Baśka

Kiedy wreszcie zeszła do holu, Michał odwrócił się i spojrzał na nią ze smutnym wyrzutem. Wciągnęła brzuch i szykowała się, by odeprzeć jego atak. Tego się jednak nie spodziewała. – Spotkałem na mieście Julitę – powiedział po prostu. – Była z dzieckiem w wózku. Złożyła mi kondolencje. To znaczy coś w rodzaju kondolencji.

– Kto umarł? – zaniepokoiła się Baśka.

Patrzył jej w oczy. Długo, badawczo. Speszyło ją to.

– Dlaczego mi nie powiedziałaś, że byłaś w ciąży?!

Wyprowadziła go nad morze. Fale huczały – tu może krzyczeć do woli. Nie wiedziała, co powiedzieć. Jej brzuch, jej ciąża, jej sprawa. Tak myślała jeszcze niedawno.

– A co by to dało? To była ciąża pozamaciczna, i tyle.

– Ilu tygodniowa?

– Cztero.

– Czyli… – Policzył. – To musiało się stać… w Egipcie.

– Tak.

– Przez cztery tygodnie trzymałaś to w tajemnicy?!

– A ty nie zauważyłeś, że coś się dzieje? Płakałam. Byłam dwa dni w szpitalu. Krwawiłam. Wszystko ci umknęło?

Teraz on się speszył.

– Pracowałem. Wyjeżdżałem.

– Zauważyłeś tylko, że przytyłam. A ja zaczęłam więcej jeść niedługo potem. Przestałam ćwiczyć.

Patrzył na nią, jakby ją widział po raz pierwszy.

– Gdybyś mi powiedziała, jakoś byśmy to dziecko ochronili, urodzili.

– Pozamaciczna, nie dociera do ciebie? Jajo źle się zagnieździło.

– Może za długo z tym czekaliśmy?

Nadal ją oszczędzał, bo ujął to delikatnie. Mógł przecież spytać: „A jeśli byłaś już za stara?".

Tak czy siak trafił ją w sam środek lęku.

Morze beznamiętnie produkowało kolejne fale, ale nic a nic jej to nie uspokajało. Przecież nie powinna czuć się winna.

– Nigdy nie chciałeś mieć dziecka.

– A ty? Chciałaś?

– Brzydziła cię ciąża Julity, pamiętasz? Wyśmiewałeś jej piersi, brzuszysko.

– Musiałaś coś źle zrozumieć.

– Jeśli chciałeś dziecka, dlaczego nigdy nie powiedziałeś? Obchodził cię tylko mój rozmiar. A w ciąży się tyje, wiesz?

– Baśka, Baśka, Baśka... – powtarzał tylko. – Skąd w tobie tyle goryczy?

135

A co ma w niej być? Radość?!

– Zostawiłeś mnie, przypominam. Porzuciłeś.

– W ogóle cię nie obchodziłem. Żyłaś swoim życiem.

– Ciebie obchodziło tylko, jak wyglądam.

– Basia, to nieprawda.

– Kto mi liczył każdy kęs? Kto mnie siłą wysyłał na gimnastykę?

Przecież pamiętała.

Powiedział, że znalazł dla niej aerobik. I będzie ją tam woził.

– Nie znoszę aerobiku! – protestowała. – Przecież wiesz, że nie mam poczucia rytmu, ja tam zwariuję, nie lubię, wyśmieją mnie.

– Dasz radę.

– Ale mi się piersi urywają od skakania. Wolę iść z tobą na spacer.

– Spacer swoją drogą, oczywiście – powiedział. – A co do piersi – dodał – kupimy odpowiedni stanik.

Przecież pamiętała tę rozmowę.

– To ty nie wychodziłaś z sali gimnastycznej. Wracałem do domu, a ciebie nigdy nie było.

– Nie pozwoliłeś mi jeść przy gościach, poniżałeś mnie.

– Sama brzuch wciągałaś za każdym razem, gdy wstawałaś z krzesła. Wstydziłaś się, chciałem ci pomóc.

– Całymi tygodniami chodziłam głodna.

– W domu nie było nic do jedzenia. Jadałem na mieście, żeby cię nie kusić.

– W ogóle się ze mną nie kochałeś, bo się mnie brzydziłeś.

– To ty nie chciałaś się ze mną kochać, mówiłaś, że jesteś za stara, za gruba, pomarszczona. Osłaniałaś się, układałaś się tak, żebym nie zauważył tego czy tamtego.

– Widziałam, z jakim obrzydzeniem patrzyłeś na mnie, kiedy przytyłam. Myślisz, że po co wydawałam tyle pieniędzy na kremy, maści, balsamy?

– Nigdy nie pachniałaś sobą, zawsze tą chemią.

– Przecież lubiłeś te zapachy.

Jakby mówili różnymi językami.

Bo też mówili różnymi językami.

– Boże, o czym my tutaj... Zaszłaś w ciążę, nie powiedziałaś. Zawiózłbym cię do szpitala. Pielęgnował. Opłakiwał. Pocieszał. Bylibyśmy razem.

Spojrzał na nią z powagą.

– A może to nie moje?! – zaniepokoił się nagle.

Zaprzeczyła, ale zauważył sekundę wahania.

– Zdradziłaś.

– Nie. Nie było żadnego innego faceta.

Uspokoił się. Trochę.

Michał szedł obok Baśki, z głową zwróconą w stronę wydm, żeby tylko nie patrzeć na nią.

Nigdy go tak naprawdę nie znała. Zmajstrowali sobie wygodne życie, w którym ona była tą Piękną, by w końcu okazało się, że on tęskni za czymś innym. Za pieluchami być może. Była winna? Czemu? Że ukryła ciążę, nie zadzwoniła do niego, nie ściągnęła do domu na nastrojową kolację, na której tylko on by pił wino, a gdyby zapytał, dlaczego ona poprzestaje na wodzie, wręczyłaby mu zapakowany w ozdobną paczuszkę test ciążowy z dwiema kreseczkami?

Nie miała ochoty na taką kolację, a gdy problem rozwiązał się sam, urządzanie stypy wydało jej się bez sensu, zdrowiej było o tym wszystkim od razu zapomnieć.

Była winna? Przecież i tak zaczęło się przypadkiem, a skończyło na niczym.

Tak, zaczęło się przypadkiem, gdy któregoś dnia pomyślała, że nie wytrzyma, jeśli w ich życiu nie pojawi się inne zaskoczenie niż to, co dzisiaj wymyśli autor telewizyjnej ramówki. Poszła więc do biura podróży i wpłaciła zaliczkę na wycieczkę. Bezdzietni, więc mogli jechać w okresie, gdy było taniej. Na posiłki – szwedzki bufet, moc warzyw, jak zapewniała agentka, nie jak na polskich wczasach, gdzie każdemu przydzielają kotlet z kartoflami i marchewką.

Michał był zaskoczony, ale całkiem zadowolony. W sobotę poszli kupować kostiumy kąpielowe.

Patrzył na nią w przymierzalni i poza jedną uwagą – „strasznie blada jesteś" – wydawał się zadowolony z jej zgrabnego tyłeczka, nic a nic nie obwisłego.

Chwilę się wahała, czy nie pójść przed wyjazdem na solarium, ale w końcu wybrała opalanie metodą natryskową, po którym nagle zbrązowiała, jakby już wróciła z tego Egiptu, co wywołało kilka złośliwych komentarzy w pracy. Ale Michałowi się podobało, gładził przy telewizji jej brązowy kark, brązowe przedramiona.

Mimo połowy września słońce w Egipcie operowało na sposób letni. Gdy pierwszego ranka szła do swojego leżaka obok basenu, odprowadzały ją zachwycone spojrzenia mężczyzn. Kiedy już się położyła, rozłożywszy ręcznik (nie dało się tego zrobić bez – bądźmy szczerzy – wypinania pośladków, opakowanych w gołębioblękitne majteczki z lycrą), trudno jej było się skupić na czytaniu, bo przez cały czas, jak głaskanie, czuła wzrok facetów. Na pośladkach, na udach. Na piersiach. Na stopach (wyczuła i takiego fetyszystę). Na karku. Na twarzy najmniej. Michał, który zwalił się obok niej z zaległymi tygodnikami kulturalnymi, zdawał się nie zauważać tego męskiego zainteresowania, a gdy mu się zrobiło gorąco, jął przemierzać kolejne baseny. A ona prężyła się na brzegu, pławiąc się w męskiej aprobacie i pożądaniu.

Lata poświęceń nie na darmo. Podziwiała swoje odbicie w szybach, w lustrach. Porównywała się z innymi kobietami rozłożonymi na leżakach wokół basenu, które mogły w swoich poprzerastanych formach śmiało konkurować z ciastem karpatką. Nadmiary ciała wyskakiwały im na brzuchu, miały cellulit na ramionach, nawet na podbródkach, a ich tyłki, przyzwyczajone widać do siedzenia, na stojąco fałdowały się i spływały z kości w falbanach i zagnieceniach. Baśce sprawiało przyjemność popatrywanie na nie zza gazety, bo wiedziała, że ona nigdy nie będzie tak wyglądać.

Szokowało ją, że baby nie osłaniały się z poczuciem winy dyskretnymi ręcznikami czy chustami, lecz nakładały bezwstydnie wrzynające się w tłuszcz bikini.

Michał też się wpatrywał w te panie. Badawczo. Uważnie. Patrzył na nie częściej niż na Baśkę. Śledził spojrzeniem grubaski na leżakach, wchodzące do basenu (woda występowała z brzegów), stojące w kolejce po frytki. Minę miał niewyraźną.

Cóż, myślała Baśka, do czego innego przyzwyczaiłeś się w domu. Ale nie wszystkie kobiety o siebie dbają, nie wszystkim się chce, wolą zagryźć głód frytkami, niż próbować go ukoić wodą bez bąbelków.

Do jej leżaka, po trzecim aerobiku w wodzie, przysiadł się jeden z animatorów, ten od strzałek i siatkówki plażowej, żeby zachęcić ją do popołudniowych zajęć. Niemiec chyba, bo po angielsku mówił słabo i z twardym akcentem. Wyglądał jak ze snów zakompleksionej nastolatki: barczysty, opalony, włosy półdługie, oko czarne i namiętne, głos niski, welon wody kolońskiej Adidas go otulający. W najgorszym guście, musiała przyznać, ale też przyjemnie było na niego popatrzeć, taki słoneczny patrol. Spojrzeniem nie tylko gładził jej ciało, lecz również ugniatał je i miesił. Kiedy Michał dotarł wreszcie na basen, zaskoczyła go obecność opalonego mięśniaka u boku żony. Mięśniak na widok męża zmył się szybko, a Michał dopiero wtedy pogłaskał spojrzeniem Baśki piersi, brzuch i łono wypiętrzające się lekko pod lycrą.

Kiedy poszli się przebrać przed kolacją, rzucił się na nią w hotelowym pokoju i posiadł ją szybko. Drugi raz rano, aż się spóźnili na śniadanie.

Martwiło ją tylko jedno: że Michał zamyka przy tym oczy.

Przy kolacji słoneczny patrol zagadał do niej znowu, tym razem przy dystrybutorze z napojami.

Delektowała się przez chwilę obcojęzycznym flirtem, błyskała zębami, poprawiała włosy, pochylała, by zademonstrować piersi, i mrugała, dużo i szybko. Był zachwycony. Spojrzała ku swojemu stolikowi. Michał pochłaniał w ciszy smażone kalmary, nurzając je w miseczce z sosem czosnkowym, więc nawet nie zauważył jej nieobecności.

– *See you tomorrow* – odprawiła instruktora i wróciła do swojej wierności z kapką sosu na podbródku.

– Czy ja ci się podobam? – spytała go.

Ależ oczywiście, podobała mu się bardzo.

Dlaczego więc miała wrażenie, że on jej nie zauważa?

– No to co mam robić?

Sama nie wiedziała. Pożerać ją oczyma? Czy to realne po piętnastu latach małżeństwa? Patrzeć na nią, co kwadrans przynajmniej? Z ogniem w oku?

Na basenie znowu gapili się na nią wszyscy – dziś włożyła purpurowy kostium – wszyscy, poza homoseksualistami i własnym mężem.

Koło południa poczuła głód. Za wcześnie, do obiadu jeszcze dwie godziny. Postanowiła jak zwykle zabić głód herbatą. Lub kawą.

Przy ogólnodostępnym ekspresie leżała mała, zrumieniona na brązowo fryteczka, komuś pewnie wypadła z tacki.

Chciała ją pstryknąć na ziemię, ale zamiast tego chwyciła frytkę w dwa palce. Zimna. Pachnąca smażeniną w głębokim tłuszczu. Bezwstydnie kusząca. Rozejrzała się. I wsadziła ją do ust. Pogryzła. Połknęła. Zapragnęła więcej. Zaraz potem chciała lecieć do łazienki i zwracać to ohydztwo.

Żeby pozbyć się niesmaku z ust, wróciła do pokoju i umyła zęby. A niesmak w duszy? Pozostał. Szacunek do samej siebie opadł o siedem milimetrów słupka rtęci.

Wróciła na basen, gdzie patrzyła na grubasy, i wiedziała, jak niewielka odległość ją od nich dzieli, wąska fosa z samodyscypliny i wieloletnich nawyków, ale chwila nieuwagi i wróg może się wedrzeć każdą nieszczelnością w obronie.

Wieczorem usypiali z Michałem, wtuleni w siebie na łyżeczkę, zbyt wycieńczeni nadmiarem słońca i tlenu, by jeszcze rozmawiać.

Czwartego dnia dostała biegunki. Siedziała na sedesie w klimatyzowanej łazience hotelowej, a jej ciało traciło ostatnie zaokrąglenia, oczyszczało się od środka z powodu dolegliwości zwanej zemstą faraona. I chwała faraonowi.

Wysłała Michała na basen, bo nie miało sensu, żeby oboje męczyli się w hotelowych murach. Dwie godziny później wpadł do niej nagrzany egipskim słońcem, nabuzowany, z erekcją, którą na schodach przykrył ręcznikiem, a wchodząc do pokoju, triumfalnie odsłonił. Porwał ją na łóżko, gdzie kochał się z nią zapamiętale, szybko, gwałtownie, bez słów, z zamkniętymi oczami. Potem sobie poszedł.

Czuła się coraz bardziej bezcielesna, na diecie złożonej ze słońca przez okno i niesłodzonej herbaty.

Kiedy zaciążyła jej samotność, wzięła prysznic, odziała się w powiewną szatkę i jak rusałka wpłynęła do jadalni, gdzie Michał znad swojego bakłażana z wołowiną wlepiał oczy w spalone słońcem, nieforemne ciało wielkodupej Niemki, która stolik dalej przełykała frytkę za frytką, zagryzając panierowaną kurą i popijając piwem.

Michał aż się wzdrygnął, kiedy naprzeciwko usiadła jego eteryczna, półprzezroczysta żona, częściowo tylko przesłaniając czerwień grubej Germanki oraz jej bogaty w cholesterol posiłek. Szybko połknął, co było do połknięcia, i porwał Baśkę do pokoju, gdzie tym razem wziął ją od tyłu, mając pod zamkniętymi powiekami, jak jej się wydawało, widok szerokobiodrej, fałdzistej sąsiadki z kolacji.

Nie, to niemożliwe, żeby to tamta go podnieciła. Baśka odganiała sprzed powiek obraz jego twarzy, widzianej podczas obiadu. Na pewno budzi w nim pożądanie żona, wyglądająca teraz, jakby zeszła na chwilę z obrazu prerafaelitów. Na pewno o to chodzi.

Odpoczął chwilę i znowu się na nią rzucił. Zupełnie jakby poznali się godzinę temu i zaraz mieli rozstać.

Dopiero w Polsce Baśka dowiedziała się, że biegunka może zniweczyć działanie pigułek antykoncepcyjnych.

I zniweczyła.

Ich niedoszłe dziecko poczęło się między innymi dzięki wpływowi egipskiej mikroflory. I – jak się obawiała – wielkodupej Niemki.

Zaszła w ciążę niemal jednocześnie z koleżanką z pracy. Julita się ucieszyła, planowała z entuzjazmem, że obie będą się zdrowo odżywiać, kupować witaminy i chodzić na basen dla ciężarnych. A potem urodzą pełnia po pełni i ramię w ramię będą pchały wózki po parku, korzystając wspólnie z rozkoszy jednoczesnego urlopu macierzyńskiego.

– Nie, ja się nie cieszę – wyznała szczerze Baśka.

– O pracę się martwisz? Przecież to urząd państwowy, muszą nas przyjąć, gdy wrócimy. Bez gadania. Na to samo stanowisko.

– O pracę też mi chodzi. Ale ja, tak naprawdę, nie chcę mieć dziecka.

Julita po chwili milczenia zdecydowała jednak, że się roześmieje. Baśka postanowiła więc nie tłumaczyć, że wcale nie planowała ciąży. Bo nie kusi jej wystający pępek na wystającym brzuchu, czerwone plamy na twarzy, zielone żyły na nabrzmiałych piersiach nad brzuchem wielkości żyrandola w sali balowej Zamku Królewskiego, rozkraczone ogrodniczki kroju barbapapy.

Nie chcę cię, nienawidzę cię, idź sobie, powtarzała Baśka w myślach nawet na przystanku autobusowym, w drodze do sklepu, na siłowni.

Kropka krwi na majtkach potwierdziła, że jest na dobrej drodze. Dalej powtarzała jak mantrę: „Wracaj, skąd przyszłoś". Przyszłoś, bo nie wiedziała, nie chciała wiedzieć, chłopiec to czy dziewczynka.

Niech się rozwiąże samo. Bez udziału Michała. Bez udziału kogokolwiek, jakby tego nigdy nie było.

Mimo nieustannego szeptania zaklęć na majtkach nie pojawiła się druga kropla krwi, która mogłaby dawać nadzieję na poronienie w toku. W kroku.

Ale przyszedł ból brzucha, jakby dziecko wierciło się niespokojnie w balonie in spe, co dało Baśce mocny dowód, że jednak panuje nad swoim ciałem i tym, co wbrew jej woli chce się tam zagnieździć.

– Nic z tego nie będzie. Ciąża pozamaciczna. Bez szans – obwieścił lekarz ponuro.

Baśka powstrzymała się, żeby nie krzyknąć z radości.

Ginekolog grzebał w niej zimnymi, twardymi narzędziami i paluchami odzianymi w lateks. Miała ochotę wyprzeć go ze środka, ale zaciskając zęby, dawała mu przystęp, bo musiała się dowiedzieć, co ma teraz robić.

– Pani rozluźni mięśnie, nic nie widać – polecił grubopalcy ginekolog.

Rozluźniła wbrew sobie.

– Być może trzeba będzie usunąć również jajnik – dodał po wykonaniu USG.

To ją zmartwiło. Jajnik to hormony, hormony to młodość, młodość to uroda, sterczący biust i błysk w oku.

– Ma pani drugi, da radę – pocieszył lekarz, który wykrzesał z siebie odrobinę empatii.

W takim razie, myślała Baśka, dziecko niech zmyka. Nawet zagnieździć się nie umiało.

146

Nie, nie będzie blizny, kropka na brzuchu zaledwie, dwie właściwie, laparoskopowo usuniemy, bez śladu, na plaży nikt nie zauważy. Dzięki wężowi laparoskopu niedoszłe dziecko razem z jajowodem wylądowało w kuwecie, potem w spalarce, potem w atmosferze.

Jajnik został, żeby nadal produkować to estrogeny, to progesteron, w zależności od cyklu księżyca.

Baśka wyszła z kliniki na miękkich nogach, kilkaset metrów dalej opadła ciężko – aż zabolało ją w kroku, w brzuchu – na krzesełko w kawiarni. Spojrzała na siebie w lusterku puderniczki. W pudrze na policzkach błyszczały podłużne ślady, jakby od potu, ale raczej od łez.

Podeszła kelnerka, obrzuciła ją badawczym spojrzeniem, jak kobieta kobietę. Nie umknęły jej uwadze skazy na pudrze.

Baśka roztarła je wierzchem dłoni i postanowiła uczcić odzyskaną przed chwilą wolność: tiramisu w pucharku, posypane kakao, które na wierzchu kremu tworzyło brązowe kropki, zlewające się w konstelacje.

Kiedy zjadła, przypudrowała policzki, analizując niedosyt, jaki nadal – mimo tiramisu – wyczuwała w głębi ciała. Zdecydowała się na ciepłą szarlotkę z kulką lodów waniliowych. Lody rozpuściły się, tworząc gęsty sos, który bardzo przyjemnie kontrastował z ciepłym jabłkowym nadzieniem. Całość zupełnie niepodobna do szarlotki z maminej cukierni. Baśka przełknęła ostatni kawałek. Jakby lepiej.

Po szarlotce kelnerka ze zgrozą odebrała kolejne zamówienie. Na tort migdałowy.

Baśkę mdliło z przesytu, ale nadal czuła pustkę w środku.

– Proszę jeszcze tartę orzechową.

Kelnerka wzniosła oczy ku niebu.

Julicie Baśka nic nie powiedziała. Nie umiała udawać smutnej z powodu pozbycia się kłopotu, a gdyby okazała radość, Julita by się pewnie zgorszyła, matka Polka nowo nawrócona, coraz bardziej pękata, i w talii, i w biuście, i w pośladkach, jakby dziecko postanowiło posiąść całe jej ciało, nie tylko brzuch.

Od ostatniej wizyty w klinice Baśka nabrała nowych zwyczajów, z upodobaniem odkrywała nowe smaki. Tort figowy w centrum handlowym. Gorzkawe brownie w kawiarni w stylu amerykańskim. Nawet ciasto marchewkowe w kolorze spranej ścierki, ale przyjemnie wilgotne. Sernik z białą czekoladą i pestkami granatu. Tort kawowy z baileysem. Rogaliki z konfiturą wiśniową. Crème brûlée. Mus pistacjowy.

Do maminej cukierni nie zaglądała. Nie chciało jej się gadać z mamą, opowiadać, co u niej, wystawiać na spojrzenia badające, czy przypadkiem nie przytyła. W talii lub gdzie indziej.

Brzuch się powiększał, mimo że ono polazło, wróciło w otchłań, skąd przyszło nieproszone.

– Zrobisz kolację? Muszę ich zaprosić.

Michał uwielbiał przyjęcia, gdzie jego żona królowała u szczytu stołu i jaśniała urodą, pokonując w przedbiegach wszystkie obecne panie. Patrzył na nią wtedy jak dumny właściciel stajni na swą najlepszą klacz i od czasu do czasu zdarzało mu się nawet ukradkiem klepnąć ją w pośladek.

Na przystawkę przygotowała sałatkę z krewetek. Na ciepło – makaron arrabbiata. Piersi kurczaka z grilla z prażonym czarnym sezamem. Tort bezowo-figowy. To znaczy – tort przyniosła z cukierni, w której ostatnio bywała codziennie.

Przy sałatce Michał śledził badawczo każdy kęs, który wędrował do jej ust. Czuła się nieswojo, choć sałatka wyszła nie najgorzej, jędrne ciałka krewetek miło się komponowały z curry i cytryną oraz kulkami maślanie miękkiego awokado. Przy makaronie zapowiedział, że sam jej nałoży. Gdy zaczęła protestować, zmarszczył wysokie czoło.

– Spójrz na siebie – syknął, a goście udawali, że nie słyszą, po czym wydzielił jej łaskawie łyżkę stołową klusek, ale tak patrzył, że połowy nie zjadła.

Kurczaka ścierpiał, a przy torcie figowym wysłał ją po herbatę i kawę. Kiedy wróciła z czajnikiem i słodkim, nie odważyła się nałożyć sobie deseru, zwłaszcza że obecne panie uważnie lustrowały jej wypukłość pod talią.

Bały się spytać o cokolwiek.

Następnego wieczoru czekał ich teatr. Uwielbiała te wyjścia. Wiedziała, że ludzie już nie przywiązują wagi do teatralnego stroju, ale ona lubiła się wystroić. Miała parę takich sukienek... Bilety czekały w szufladzie w przedpokoju od dawna, bo i sztuka była głośna, monodram o żonie prezydenta, która nagle postanowiła przemówić własnym głosem.

Baśka odziała się w tę granatową, satynową, lekko połyskującą.

– Moja syrena. – Michał zawsze wodził dłońmi po jej ciele.

Tym razem zaprotestował.

– Nie możesz ludziom się tak pokazać. Wyglądasz jak reklama opon.

Przepłakała wieczór. Nie poszła do teatru, chociaż proponował inny strój, bardziej maskujący.

To właśnie wtedy znalazł jej ten aerobik.

A ona przestała jeść i nie jadła przez następne cztery tygodnie, aż jej się w głowie kręciło. Człapała z bolącą głową i usypiała o dwudziestej, z głodu i wycieńczenia. Czasem się podratowała jakąś marchewką albo kosteczką sera. Jeśli traciła motywację, przypominała sobie jego spojrzenie.

Schudła.

– Skóra ci zwisa na brzuchu – wytknął, bo jakoś to wypatrzył pod koronkowymi gorsetami, koszulkami, pasami do pończoch.

Z tego powodu brał ją tylko od tyłu, dotykając tylko tym, czym musiał, a ona spuszczała głowę i patrzyła na swój brzuch.

Faktycznie zwisało.

– Pewnie masz na to jakieś kobiece sposoby – nie tracił nadziei.

Masaże. Kremy. Kapsuły aromatyczne. Fale radiowe.

Dwa miesiące minęły, dwa tysiące wydała u kosmetyczki, ale są rzeczy, na które pieniądze powinny się znaleźć. Mniej zwisało.

Nic nie mówił.

Ale znowu zaczął kochać się z nią zwyczajnie, od przodu. Modliła się wtedy, by wśród tiulów, negliży, kompletów, gorsetów nie zauważył jej kropek po laparoskopie – jedynych pamiątek po niechcianym dziecku.

– Dlaczego mi nie powiedziałaś? Dlaczego? – powtarzał Michał, monotonnie, uparcie, jakby obracał młynek modlitewny.

Dlaczego?

Przecież ciągle pamiętała, jak patrzył na brzuchatą Julitę.

– Ależ się rozlała, roztyła – cmokał z dezaprobatą, kiedy minął Julitę w drzwiach, gdy w podwójnym rozmiarze przetaczała się na klatkę schodową. – Żeby tę ciążę widać było tylko z profilu, jak u różnych aktorek, że z przodu szczupła, a z boku tylko brzuszek wypukły, ale niewielki i zgrabny, widziałaś księżnę Kate. Przecież można. Wystarczy tylko chcieć. I trzymać się w karbach.

Obrzucał Baśkę zadowolonym spojrzeniem posiadacza rasowej klaczy o cienkich pęcinach i napiętej skórze brzucha. Znowu napiętej. Dzięki ich obopólnym wysiłkom i pracy anonimowych kosmetyczek.

– Dlaczego jesteś taka chuda? – Julita była w szoku. – W ogóle po tobie nie widać ciąży.

Teraz widywały się rzadziej, Julita na bezustannych zwolnieniach z powodu trudów ciąży, Baśka bezustannie w pracy z powodu sukcesów zawodowych. Albo na aerobiku.

Baśka starała się sformułować wyznanie tak, żeby nie pokazać po sobie triumfu.

Chyba się udało, bo Julita się użaliła:

– Biedaku. Nie martw się, następna się uda. Dlaczego nic nie powiedziałaś, byłabym przy tobie. A, przepraszam, taka jestem niedelikatna. Kurde, pewnie nie możesz na mnie teraz patrzeć – i osłoniła swój brzuch przed Baśkowym chmurnym spojrzeniem.

Baśka spuściła głowę. Faktycznie trudno było na to patrzeć, na Julitę z wypryskami na twarzy, z ciuchami, z których żaden dobrze nie leżał, z pępkiem jak guzik w windzie na dziewiąte. Julitę, która siedziała w domu na przedłużających się zwolnieniach na rosnącą ciążę i już w niczym nie przypominała kobiety, jaką niegdyś była. Uśmiechnięta, zadowolona, z brzuszyskiem, jakby siedziała w nim połowa pobliskiej podstawówki, pochłaniała półkilogramowe pojemniki lodów w takich ilościach, że z pustych pudełek mogłaby zbudować wieżę wysokości warszawskiego Pałacu Kultury.

Kiedy urodziła, była tak pełna wrażeń, że nie mogła się powstrzymać, by nie opowiadać o kroplówkach z oksytocyną, nacinaniu krocza i parciu, od którego pękają naczynka krwionośne w oczach. Zaczęła sikać mlekiem z monstrualnych obecnie piersi i karmić bez żadnego skrępowania, dzięki czemu Baśka mogła podziwiać jej ogromne brodawki, ich otoczki z pojedynczymi czarnymi włosami (że też dziecko się tym nie zakrztusiło) i zielone żyły na piersiach, jak te, których Baśka się obawiała, zaklinając przy tym swoje ono, żeby jednak dało jej spokój. Słodkawo-zjełczały zapach mleka otaczał Julitę jak nimb rozlazłego macierzyństwa.

Baśka omijała matki z wózkami szerokim łukiem, żeby tylko ta woń nie oblepiła jej nosa.

Ona zdołała tego uniknąć.

A Michał niczego nie zauważył.

No, prawie. Bo właśnie wtedy coś się ostatecznie między nimi popsuło.

Łóżko wydawało się stopniowo poszerzać, rosnąć, potrafili się wcale nie dotykać całymi nocami, potrafili nie rozmawiać całymi wieczorami.

Ona wracała z pracy, tchnąc adrenaliną i głodną energią. On, nieobecny, wiecznie w delegacjach, wróciwszy do domu, zasypiał prawie od razu, więc gdy wchodziła po kąpieli do łóżka, już chrapał. Nie narzekała. Tak było wygodnie.

A jeśli nie w delegacji, to leżał zwinięty w kłębek przed telewizorem, w towarzystwie pieczonego kurczaka lub zwoju kabanosów, których przecież wcześniej starał się przy niej nie jadać. Obrzucał ją hardym spojrzeniem, gdy chodziła po pokoju, starając się nie wciągać w nozdrza aromatu mięsa, bo od razu miała skurcze z głodu. Michał czasem proponował herbatę, tylko tyle, bo wiedział, że nie będzie nic jadła. Ciepło ziołowego naparu zagłuszało pustkę w brzuchu. Przytulał ją, a z jego ust i dłoni pachniało wędzonką, po czym gapili się w ekran, na którym rozgrywały się problemy innych ludzi.

Czasem starała się opowiadać mu, co w pracy. Słuchał, pomrukując współczująco. Czasem on opowiadał. Że się na kogoś zdenerwował, że tamten – idiota, oni wszyscy – idioci. Przyznawała mu rację, wtedy się uspokajał, wyciszał, milkł i tak już zostawało, gadał tylko telewizor.

Wieczór kończył się razem z kabanosami. Gdy wychodziła z łazienki po rozbudowanych wieczornych zabiegach toaletowych, na ogół już spał, zwinięty pod kołdrą na kształt ślimaka.

A gdzie seks? Seks między nimi ostatecznie się skończył.

– Zdradzałeś mnie? – spytała teraz.

Jakby go piorun trafił.

– Z kim? – drążyła.

Milczał.

– Nawet wiem kiedy – powiedziała z nagłą pewnością.

– Tylko raz. Przysięgam, tylko raz!

Tak, wiedziała kiedy.

Bo któregoś wieczoru znienacka postanowił się z nią kochać, choć to nie była sobota. Nie dał jej się umyć, wydepilować, wyperfumować, odziać w koronki, tylko zerwał z niej, co tam miała na sobie, aż guzik odskoczył pod szafkę i nie znalazła go do dzisiaj, aż przestraszyła się, że zobaczy blizny, ale nie zwracał uwagi na detale, bo miętosił, szczypał, ugniatał jej piersi, ramiona, pośladki. Tylko brzucha tknąć mu nie dawała, choć próbował. Całował ją psimi liźnięciami.

– Tak mało masz tego futra – narzekał.

Kazał ściskać i lizać, choć nie lubiła; z miłości, mówił, z miłości to nawet i połknąć można, ale tego nie mógł od niej wymagać.

– Już mi nie będzie potrzebna ta bielizna? – pytała, siląc się na kokieterię, ale była przerażona.

– Chcę się kochać z tobą, nie z koszulką – tłumaczył, jakby go kto odmienił.

Kupował jej przecież od lat te koszulki, kazał się w nie odziewać, uwielbiał to.

Co mu się stało?

Właśnie to. Teraz już wiedziała. Właśnie to.

Inna kobieta.

Janina

Stała na molo, patrząc w morze, zastanawiając się nad przyszłością. Musiała się kimś opiekować, inaczej gasła. Lubiła komuś gotować, prasować spodnie, układać skarpetki w szufladzie. Teraz, kiedy pracowała zawodowo i dużo czasu spędzała na nagraniach, których scenariusze musiała przedtem omówić z producentem, tym bardziej doskwierała jej pustka w domu. Chciała po powrocie zabrać się do krzątaniny, ale nie miała dla kogo.

Nagle zamarła. Wpatrzyła się w horyzont. Czarny punkcik zbliżał się powoli plażą. Stopniowo nabierał cech nie-Maniany. Obok przesuwał się drugi. I… wyglądał jak Baśka. Nie-Maniana i Baśka szli obok siebie i to odwracali głowy ku sobie, by w krótkich drgnięciach podbródka wyrzucać z siebie słowa, to odwracali się raptownie jedno od drugiego, niczym w tangu z *Tańca z gwiazdami*.

Janina zeszła z molo i schowała się za filarem.

Zrozumiała.

Nie musiała pytać Baśki, skąd zna nie-Manianę. Ani jakim cudem znalazł Janinę. On nie jej tutaj szukał, tylko swojej żony – Baśki.

O Boże, w co ona się wplątała? Nie mogła tam wrócić, spojrzeć w oczy ani jej, ani jemu.

Choć to przecież Michał zdradził Baśkę. Spojrzał na Janinę w kawiarni i wskoczył ochoczo do hotelowego łóżka, rozkoszował się fałdami i poduchami jej ciała, zapominając o mięśniach Baśki. Janina ani przez moment nie podejrzewała, że on kogoś ma, taki był głodny czułości. Ani przez moment nie myślała, że może potem rzucić żonę. Nie przypuszczała też, że porzucona się rozsypie, załamie, pójdzie do kółka grubasów, by uzyskać ten sam namiar na wczasy odchudzające co ona. Przez nie-Manianę Janina wykończyła nie tylko Pawła. Zadała też cios Baśce, po którym ta niby silna kobieta śniła koszmary, z których głębin wołała o ratunek do niej, do Jasi.

Do Jasi, swojego kata.

Zaraz spakuje się i wyjedzie. Żeby już nie oglądać zdrajcy, inżynierka o delikatnych palcach. Żeby i on jej nie zobaczył. A przede wszystkim żeby nie patrzeć na kobietę, którą skrzywdziła.

Brzydziły ją wspomnienia o nie-Manianie, za które zapłaciła niemałą cenę. Brzydziły też mejle, flirtowanie z młodym chłopakiem, Manianą właściwym, który prawdopodobnie ujrzawszy ją w tamtej kawiarni, stchórzył, umknął, furkocząc spodniami wiszącymi w kroku, podciągając bokserki w jamniczki, zostawiając ją na pastwę łysawego inżyniera, Michała jak mu tam.

Śmieszny wydał się jej triumf sprzed godziny. Nikt dla niej nie przejechał połowy Polski. Nie-Maniana wymazał ją z pamięci, a ona starała się wymazać jego. Za to tęsknił za żoną. I dobrze. Wszystko wraca na swoje miejsce.

Poza Pawłem.

Schować się gdzieś. Głęboko.

– Jasiu – zagadała Ania. – Za chwilę marszobieg. Idziesz?

– A dajże mi spokój! – warknęła Janina i odwróciła się na pięcie, zostawiając tamtą, przerażoną, jakby w świeżo wyjętej z pieca pieczeni nagle odkryła czerwie.

Niech jej tylko nie-Maniana nie zobaczy w Baśki pokoju, bo wtedy sprawy skomplikują się jeszcze bardziej. Niech przynajmniej Baśce się wyprostuje. Nie lubiła tej baby, splątanej w żylasty supeł, ale chciała, żeby jej się ułożyło. No nic, nadszedł czas, by się ulotnić z życia tamtej. I z tych pieprzonych wczasów, na które nie wiadomo po co przyjechała.

Janina podeszła na palcach korytarzem do drzwi ich pokoju (żałosne doprawdy próby skradania się przy tej wadze) i przyłożyła do nich ucho. Jest kto w środku? O, niech będzie pusto... Wtedy zbierze swoje rzeczy i ucieknie, nie oglądając się za siebie.

Odczekała jeszcze chwilę, po czym wsunęła się do pokoju, gdzie zaczęła szybko wrzucać ciuchy do walizki, która wydawała się dziwnie mała.

Już chyba wszystko. Tylko błyszczące magazyny żadną miarą się nie zmieszczą, więc rzuciła je na blat stolika. Chwyciła walizkę, kółka zahurgotały, bagaż ważył swoje, a ona pędziła korytarzem, nie zwracając uwagi na to, że brak jej tchu bardziej niż na marszobiegu. Znosząc walizkę po schodach, co półpiętro zmieniała rękę.

Dopiero przy drzwiach wyjściowych z budynku stanęła jak wryta. Nie spakowała koszuli nocnej! Została w łóżku, pod poduszką.

Trudno, nie wróci. Niech tam, staroć powycierany, aż wstyd się w niej pokazywać.

Koszulę nocną w błękitne kwiatki, którą właśnie porzuciła, nosiła od prawie dwudziestu lat. Dała ją do szycia w latach osiemdziesiątych z lekko podartej poszwy na kołdrę. Poszwę dostała od mamy w ślubnym wianie, spali pod nią z Pawłem tyle lat, że aż bawełna przetarła się na środku. Koszula też była trochę wytarta, zwłaszcza w okolicy brzucha, ale przez to stała się miękka, swojska, Janina wsuwała się w nią co wieczór jak w kokon. Specjalnie ją wzięła na wczasy, żeby w obcym pokoju poczuć się bardziej u siebie.

Kto ją znajdzie w łóżku? Baśka? Sprzątaczka? Zmarszczy nos, że taka brzydka, i wyrzuci na szmaty. Ślubnym materiałem w kwiatki, z miłością danym Janinie przez matkę, będą wycierać cudze brudy.

Janina oderwała się od ściany, dźwignęła walizkę i zaczęła jednak wspinać się z powrotem na górę. Pokonała korytarz jeszcze szybciej niż przedtem, postawiła walizkę w przedpokoju i rzuciła się do łóżka. Wyjęła koszulę spod poduszki, wtuliła w nią twarz.

Co by matka powiedziała na to, że Jasia zdradziła męża i kochała się z obcym, młodszym, żonatym facetem? Nie mieściłoby jej się to w głowie. Powiedziałaby pewnie, że wystarczy jeden zły uczynek, by zło urosło, osiągając zdumiewające rozmiary jak kręgi na wodzie. I nic to, że przez chwilę było Janinie z nie-Manianą tak przyjemnie jak nigdy z Pawłem. Że zbliżyła się do zrozumienia, czym jest ten, szeroko reklamowany, orgazm. Fajnie jest mieć taką wiedzę, przez to świat współczesny stał się dla niej trochę bardziej zrozumiały. Ale czy ta wiedza warta była jej skutków? Mama pokręciłaby z dezaprobatą głową i zamiast myśleć o głupotach, kazałaby się wziąć do roboty. I do wynagradzania strat.

Janina z koszulą pod pachą ruszyła do drzwi, po drodze chwytając walizkę. Już naciskała ręką klamkę, gdy drzwi się uchyliły.

Baśka.

– Wyjeżdżasz? – spytała. – Czy zmieniasz pokój?

Janina stała, nie podnosząc wzroku. Niech tamta sama to sobie jakoś wytłumaczy.

– A rób, co chcesz – wzruszyła ramionami Baśka, dziwnie spokojna.

Baśka

Otworzyła okno, do pokoju wpadł skłębiony, wilgotny, chłodny listopad. Czuła się, jakby ktoś ją zamknął w sarkofagu z cementu. Bez powietrza, spętana.

Na stoliku piętrzył się kolorowy i błyszczący stos czasopism kobiecych, codziennego pokarmu Janiny, która z baranim wyrazem twarzy i brzydką walizką stała nadal w progu. Baśka miała ochotę grzmotnąć ją w tę facjatę bez wyrazu.

Schudnij w dwa tygodnie, a będzie twój – modelka z okładki szczerzyła się bezczelnie. – *Chandra? Idź do kosmetyczki. Jak ratować twoje małżeństwo? Zaskocz go: zmień fryzurę. 1001 sposobów, jak zdobyć i utrzymać przy sobie faceta.*

– Wyprowadzasz się?! Proszę bardzo, ale dlaczego zostawiasz mi te bzdury?! – nakręcała się Baśka.

– Po co mi one, skoro sama się niczym nie przejmujesz?

Nagle, jakby lont się dopalił, eksplodowała. Z hukiem, aż zabolała ją ręka, walnęła w stos pism, które posłusznie rozprysły się po stoliku, część ześlizgnęła się na podłogę dzięki gładkim, wężowym okładkom. Ale i tego Baśce było mało, kiedy patrzyła na te kolorowe bujdy, odchudzające kłamstwa, upiększające badziewie. Cisnęła garścią tych pierdół w okno, chwyciła kilka i usiłowała je przedrzeć na pół, ale w takiej masie dzielnie się opierały, więc rzuciła nimi w Janinę, która się nawet nie uchyliła. Janina nie broniła ani siebie, ani swych lektur, co jeszcze bardziej zirytowało Baśkę.

– A wyprowadzaj się, jak chcesz. Nareszcie będę sama! Sama!

Janina patrzyła na nią z wyżyn opasłej mądrości i milczała, a oczy miała wielkie jak opony tira. Przyciskała do siebie jakąś białą szmatę jak zbroję.

Baśka usiadła wśród poszarpanych tygodników i zaniosła się raptownym łkaniem.

Janina

Miała uciekać, ale patrząc na Baśkę, nie potrafiła się zdecydować.

– Do tego wszystkiego chcesz być jeszcze tchórzem? – spytałaby matka.

Janina musiała pocieszyć ten kłębek nerwów, z jej powodu taki pokaźny. Bo Baśka szalała. I już nawet nie chodziło o to, że zaraz jej agresja znowu zwróci się przeciwko Janinie. Tylko o to, że cierpi. Przez nią. No i swojego męża, oczywiście.

– Baśka, przepraszam…

Tamta zerwała się na równe nogi, jakby ktoś jej strzelił nad uchem.

– Ty?! A co ty masz z tym wspólnego?

Czyżby jednak Maniana nie puścił farby? Jasi, mimo że patrzyła na cudze cierpienie, spowodowane własną żądzą, trochę jakby ulżyło. Może wyjdzie z tego nieskalana tym seksualnym męsko-damskim błotem, z którego tylko cierpienie, odpryski, wyrzuty, śmierć.

– Wyprowadzasz się? Ja cię nawet rozumiem – krótkimi szczeknięciami przez łzy mówiła Baśka. – Nie mieszkało nam się tu dobrze razem. Nic dziwnego, że wolisz się wynieść. Ja sama siebie nie lubię. Idź.

Na te słowa Janinie nie pozostało nic innego, tylko zostać. Odstawiła walizkę i siadła ciężko na tapczanie, co Baśka powitała z wyraźną ulgą.

Miło być potrzebną.

A w ramach wdzięczności Baśka dopuściła ją łaskawie do swoich rozterek i tajemnic.

– Zdradził mnie, rozumiesz? – jęczała Baśka, nieoczekiwanie, po raz pierwszy tutaj, wylewna. Szczera. Bez pozy. – Mój mąż mnie zdradził.

– Przyjechał, żeby ci to powiedzieć?

– Nie. – Baśka znowu posmutniała, zasklepiła się. – Zupełnie nie po to.

– Chce wrócić?

Baśka pokręciła głową.

– Jest z nią? – spytała Janina z nadzieją, że nie-Maniana uszczęśliwiał różne kobiety, a ona była tylko nic nieznaczącym epizodem w jego drugim życiu.

– Raczej nie. Podobno tylko raz z nią spał.

– No to chyba można mu wybaczyć...

– Nie wierzę w ani jedno jego słowo – przerwała Baśka.

– Dlaczego?

– Dlaczego więc potem ode mnie odszedł? Kiedy mówi o tamtej, błyszczą mu oczy. Widać przecież, kiedy facet interesuje się kobietą.

– Tak?

– Oj, nie udawaj głupiej. Widać też, kiedy się przestaje interesować kobietą.

– Ale przejechał setki kilometrów, żeby z tobą pogadać.

Baśka umilkła.

– Nawet jeśli... Zobaczył mnie, więc wszystko stracone.

– Bzdura.

– Nie widzisz, jak wyglądam? Stara, gruba baba!

Stara, gruba Janina spojrzała na swoje ciało, potem na ciało Baśki.

– Dużo ci jeszcze brakuje.

– Co ty możesz o tym wiedzieć?!

Baśka miotała się po pokoju. Janina podała jej butelkę z wodą, panaceum na wszystkie problemy odchudzających się kobiet.

– Twoja? – zainteresowała się Baśka.

– Nie przejmuj się. Pij.

Baśka jednak nie zwracała uwagi na żadne butelki.

Mężowi Baśki nie chodziło o szczupłą figurę, to pewne. Gdyby chodziło, nie przespałby się przecież z nią, z Janiną.

– Dlaczego mnie zdradził? – zastanawiała się Baśka. – Za mało o siebie dbałam?

– Na pewno nie. – Tego akurat Janina była pewna.

– Może trzeba było jakiś botoks zrobić? Wypełniacz? I przecież mówił, że woli spódnice, a ja czasem w bojówkach...

Znowu się rozszlochała. Janina gładziła ją po plecach, zastanawiając się, co to są bojówki. I jak jej pomóc. Wyglądało na to, że Baśka chce, by mąż do niej wrócił.

– Nigdy w życiu! – obruszyła się zainteresowana.

Znowu się rozpłakała, szepcząc coś pod nosem. Ale tak cichutko, że prawie nie było słychać.

Baśka

No rzeczywiście, zdradził ją wtedy, kiedy znowu wyglądała doskonale (tylko cienkie nitki zmarszczek przy ustach, prawie niewidoczne). Wynika z tego, że tamta baba musiała być stokroć ładniejsza. Na pewno też odważna, bez koronkowej bielizny, bez zahamowań, bez fałdek, które się ujawniają w różnych pozycjach na łóżku, z małymi piersiami, które nie spływają na boki przy leżeniu na plecach.

Cholerna Janina współczującym gestem wyciągnęła w jej kierunku paczuszkę sezamek.

Baśka nie mogła uwierzyć własnym oczom. Po pierwsze: jakim cudem udało się grubej przez tyle czasu uchronić sezamki przed pożarciem?! Po drugie: czy ona naprawdę myśli, że Baśka przeszła na jej stronę? Stronę starych, grubych, porzuconych kobiet, którym już wszystko jedno?! Miała ochotę wrzeszczeć na nią, karcąc za taką demobilizację.

W przedpokoju nadal straszyła spakowana walizka grubej, więc Baśka nagle przeraziła się, że zostanie zupełnie sama. Przecież Janina, poprzednio potraktowana po chamsku, postanowiła opuścić ich wspólny pokój. Jednak gruba miała jaja. Jajniki właściwie.

Baśka pohamowała więc wyrazy oburzenia, przełknęła je, aż zapieniły się w żołądku. I powiedziała, łagodnym, miała nadzieję, głosem:

– Nie, dziękuję.

I dodała, dla osłody:

– Janino. Chyba że wolisz, żeby mówić na ciebie inaczej.

– Przyjaciółki mówią do mnie: Jasiu.

– Jasiu – z trudem przeszło jej przez gardło. Ale kiedy już przeszło, Baśka poczuła się lepiej.

Janina

Na widok sezamek Baśka podskoczyła jak dźgnięta w tyłek nożem. Janina sama zjadła kilka, nawet po przełknięciu zostawiały miłe wspomnienia na zębach. Można je było potem, przedłużając przyjemność, wydłubywać językiem. Trochę kląskało. Nigdy by się na to nie odważyła przy dawnej Baśce, ale ta wydawała się trochę bardziej tolerancyjna.

Baśka

– To wszystko jest zupełnie bez sensu – westchnęła. – Totalna ruina całego mojego życia tylko dlatego, że Michał postanowił przez parę minut porypać sobie na boku.

Janina

To nie było parę minut, pomyślała Janina. Nic nie wiesz o tym facecie, swoim mężu.

Baśka

Nie mogła się nadziwić, jakie to wszystko absurdalne. Jedenaście wspólnych lat przekreślone z powodu kilku śmiesznych ruchów, wykonanych przez jej męża w ciele innej kobiety.

Jak mógł dotykać mnie zaraz po tamtej? Jak śmiał? Brzydziła się dzielenia facetem z kimś innym. Czy on się umył po tamtej? Czy tak od razu do Baśki? Ale on się nie tylko umyć powinien, ale i odkazić, wyparzyć wrzątkiem, ogolić na całym ciele, żeby między jego włosami nie została ani odrobina zdrady. Przecież leżała z głową na jego udzie krótko po ssaniu tego, co chyba niedługo przedtem ssała tamta. Baśka wypuszczała kącikiem ust gorzko-słoną gęstą ciecz, mając prawdopodobnie do czynienia z molekułami tamtej, patrząc na jego czarne, gęste udowe owłosienie, które wolno mieć tylko mężczyznom.

Na wspomnienie tego smaku, do którego zaznania została zmuszona przez swego odmienionego po zdradzie męża, coś zaczęło wędrować jej do gardła i domagać się ujścia na zewnątrz.

Ledwo zdążyła, ominąwszy Janinę, dobiec do łazienki, huknąć drzwiami, pochylić się nad umywalką. Janina stała pod drzwiami i nawoływała cichym głosem, czy wejść, czy pomóc, czy potrzymać czoło.

Baśka skończyła, umyła zęby, a co nie przeleciało przez kratki umywalki, przepchnęła szczoteczką. Rozpyliła w powietrzu trochę swoich perfum, aż zaczęła kasłać w tej komorze gazowej. Nic to. Obraził ją, zmusił, by zjadła resztki po tamtej.

Ale się ich pozbyła.

Wyszła z łazienki wykończona, słaba, bez sił. Starając się nie patrzeć w lustro, bo wyglądała jak stara kobieta.

Opadła na łóżko. Wycieńczona, zarzygana.

– Kim ona mogła być? Jaka była? – mamrotała pod nosem jak różaniec.

Baśka

– Inna niż ty. Zupełnie inna – powiedział jej Michał przed chwilą nad morzem. I miał w oku coś jakby żal.

– To znaczy?

– Basiu, przecież jej nie znasz. Zresztą nie przyjechałem, żeby o niej rozmawiać. Wiesz, o czym chciałem mówić. A tamta... Tamta jest już dawno nieważna.

169

– Nieważna? Zaraz po tym, jak się z nią przespałeś, zerwałeś ze mną.

– Czy my w ogóle byliśmy razem? Nigdy nie wiedziałem, co myślisz, co czujesz.

– Michał, nie mów mi teraz, że to wszystko moja wina.

– A nie byliśmy osobno? Zaszłaś w ciążę bez słowa, bez słowa się z nią rozstałaś. Przecież to było też moje dziecko.

– Wystarczyło czasem zwracać na mnie uwagę. Patrzeć z troską, a nie z centymetrem w oku.

– Basiu, nie wmawiaj mi…

– Interesowałeś się tylko, czy mi nic nie zwisa. Nie wystaje. Tym, co w środku – wcale.

– Tragizujesz. I zwalasz na mnie.

– Ja zdradziłam?

– Ty? A interesował cię w ogóle seks? Od pewnego momentu przecież wcale.

Nie chciała już z nim gadać. Obróciła się i poszła plażą w swoją stronę, mimo że coś tam wołał.

Prawie nie płakała. Nie pozwoli mu się obciążyć winą za rozstanie. Nie pozwoli wmówić sobie, że była kiepska, więc ją zdradził. Pewnie była kiepska. Ale to on zdradził. A seks lubiła. Tylko że nie z Michałem.

Zobaczyła go u mamy w piwnicy jakieś dwa lata temu i poznała od razu, mimo że minęło wiele lat.

Stał tam, bezwstydnie rozkraczając nogi, poszarzałe i pochlapane farbą. Na jego widok poczuła podniecenie, jakiego dzięki niemu zaznała, gdy była nastolatką. Jakiego nigdy nie czuła na widok kształtnych męskich pośladków. Miał rację ksiądz, grzmiąc o prawie pierwszego połączenia, tłumacząc, że wszelkie następne nie wydają się równie fascynujące.

Wycyganiła go od mamy. Zaraz po tym, jak zawlokła go do łazienki, powaliła na bok, przykryła mu nogę parokrotnie złożonym ręcznikiem i usiadła na nim okrakiem. Idealna wysokość, grubość, dopasowany do niej, jakby się razem urodzili. Po co mi faceci, myślała, poruszając się rytmicznie. Krakowianka jedna miała chłopca z drewna.

Seksualnie nie potrzebowała już nikogo więcej. Bezpieczeństwo, dostępność, rozkosz przy zerowym zagrożeniu ciążą, opryszczką czy żółtaczką typu B i C.

No i przy nim mogła wyglądać, jak chciała.

Po pierwszym seksie z nim wymyła go z kilkunastu lat kurzu, przykryła połyskliwą tkaniną i ustawiła przy swoim łóżku jako szafkę nocną. I nocnego towarzysza. Ale o tym nikt miał nie wiedzieć, zwłaszcza Michał. Stołek w każdym razie milczał, to było jeszcze jedną jego zaletą. Żadne krzesło, żaden facet, Michał też, nie dał jej tyle przyjemności co ów wysoki taboret, na który mama kiedyś się wspinała, żeby wyciągnąć konfitury wiśniowe z górnej szafki w cukierni.

Ale przecież Baśka nie mogła opowiedzieć Michałowi o onanizowaniu się za pomocą taboretu. O tym, ile miała przyjemności z obcowania z drewnianym stołkiem i o ile swobodniej czuła się przy nim niż przy Michale.

Chwilami żałowała, że przez tych jedenaście ostatnich lat nie poprzestawała na stołku.

Ciekawe, gdzie teraz podziewa się Michał? Został na plaży, nie była w stanie nawet odprowadzić go do samochodu. Trudno było iść obok niego, bo wiadomość o zdradzie strasznie uwierała. Jak nóż w plecach.

Marzyła, że Michał wróci, pokaja się, poklęczy pod tymi drzwiami, zawodząc: „Wróć do mnie!". Może zrozumie, że to on zawinił i zgrzeszył przeciwko ich związkowi. A ona może mu wtedy przebaczy. Może. Zostanie jeszcze do końca wczasów, by znowu szczupła i piękna pozwolić mu się zawieźć do domu, gdzie on znowu wstawi swoją musztardę do lodówki, kubek do szafki, będą chodzić w soboty do teatru, latem na grilla do jego kumpli, może znowu pojadą w ciepłe kraje?

To wszystko, co śmiertelnie ją nużyło, męczyło, wyjaławiało, gdy trwało, teraz wydawało się rajem utraconym.

Czy i Michał za tym tęskni?

Wstała, umyła twarz zimną wodą, przypudrowała, co się dało.

Janina patrzyła na nią uważnie, chyba zadowolona, że Baśka wraca do formy.

Przez wizytę byłego męża minęło ją BNP, czyli ćwiczenia na brzuch, nogi i pośladki, opuściła masaż, ale mogła jeszcze pobiegać po ruchomej bieżni. Janina oczywiście wolała tapczan. No cóż.

Baśka zeszła na dół. Parę dziewczyn ćwiczyło. Włączyła bieżnię na maksimum i waliła w nią piętami, machała rękami, pot zalewał jej oczy, a ona uciekała, biegła jak najdalej, by potem otworzyć oczy i zobaczyć, że tkwi w tym samym miejscu. Ona i jej obrzydliwe, spocone ciało.

Przyspieszyła.

Gdyby wszystkie ruchy stóp, które wykonała na licznych bieżniach, skumulować i przepuścić przez generator, zapewniłaby sobie prąd w mieszkaniu do końca życia.

– Widzę, że daje pani z siebie wszystko – pochwaliła instruktorka, jakby nie wiedziała, że wszystko jest zupełnie gdzie indziej.

Janina

Spojrzała ze zgrozą na Baśkę, która niemal wczołgała się do pokoju, skurczona we dwoje po kilometrach przemierzonych na ruchomej bieżni.

– Po co to robisz? – spytała Janina.

– Chcę znowu ładnie wyglądać. Przecież nie wróci do mnie takiej – wybuchnęła Baśka, chwytając w pęsetę palców fałdę na brzuchu, szarpnęła, jakby chciała ją urwać, a twarz się jej wykrzywiła. Niby gniewnie, ale może nawet bliżej płaczu.

Janina spojrzała na swoje fałdy, których wcale nie ukrywał podkoszulek. Gdyby nagle pojawiła się wróżka, która obiecałaby spełnić jedno jej życzenie, wcale nie poprosiłaby jej o szczupłą sylwetkę.

A o co? O wskrzeszenie Pawła? O Michała? O kogokolwiek, kto by zjadł to, co ugotowała, obejrzał jej program, a potem pochwalił i przytulił?

Wróżka wprawiłaby ją w spore zakłopotanie. Niech lepiej się wstrzyma z wizytami.

Wypompowana wariatka stała przy otwartym oknie pokoju i dyszała.

– Jeszcze się zaziębisz.

– Masz rację. – Baśka trzasnęła oknem i padła na łóżko. – Tylko trochę chciałam wywietrzyć, bo pachnie tu stęchlizną.

– Skąd stęchlizna?

Baśka tylko wzruszyła ramionami.

Baśka

– Wiesz co? Nie wszyscy faceci lubią chude – odezwała się nagle Janina tonem księdza proboszcza. – Czasem nie ma sensu tak się wysilać. Naprawdę.

A ta po co prowokuje? Nie wie przecież, że Baśka spędziła kilkanaście lat na poznawaniu od środka tematu grubych kobiet.

– Masz na myśli tego twojego... Manianę, tak?

– Tak – odpowiedziała lekko zmieszana Janina. – Między innymi.

Baśka nie posiadała się z satysfakcji: konfuzja Janiny potwierdzała ostatecznie, że całą historię zmyśliła od początku do końca.

– Mówiłaś, że nie zwracał uwagi na twoją figurę?

– Nie. Nieprawda – powiedziała z mocą Janina. Mam cię! Nareszcie przyznała, że zmyśla.

– Moja figura mu się spodobała – prawie krzyknęła Janina. – Bardzo!

Janina

Baśka patrzyła na nią jak na robala.

– Co ty opowiadasz? Nie ma takich facetów. A nawet jeśli jeden by się znalazł... – dodała Baśka, przypatrując się swoim udom, znacznie chudszym, jak zauważyła Janina, niż na początku turnusu – ...sama przyznasz, musiał być jakiś dziwny. Mój Michał natomiast był normalny.

W Janinie narastał gniew na tępogłową współlokatorkę.

Bo to właśnie jej normalny mężulek poderwał w kawiarni właśnie ją, grubą babę, i rzucił się na nią od razu po zamknięciu drzwi pokoju hotelowego. A poderwał ją dlatego, że spodobało mu się wielkie ciało, w którym mógł zatonąć. Tak mówił w przerwach między pocałunkami. Zachwyciło go tak bardzo, że potem rzucił swoją żonę i wydzwaniał do Janiny, bo chciał ją znowu widzieć. Dotykać.

To ja wygrałam w tym rozdaniu, chciała powiedzieć Janina. Wybrał mnie, rozumiesz? Nie gadaj głupot, chuda, trująca, zatruta suko. Bo nic nie wiesz. Ani o Michale, ani o życiu. Udowodnić?

A co powiesz na to, że nie-Maniana, pardon, twój Michał, ma brązową plamkę wielkości ziarna kukurydzy z lewej strony pępka? A na koniec krzyczy: „Już!", wypręża się, po czym opada na ciało kobiety jak na wilgotny materac?

– Przepraszam – przerwała napiętą ciszę skruszona Baśka. – Sama nie wiem, co we mnie wstąpiło.

Janina wcale się nie dziwiła, że mąż miał dość tej baby. Wydmuszka, co z tego, że dekoracyjna, skoro pełna jadu.

– Co ja poradzę, że ci nie wierzę. Wybacz, ale to brzmi jak z harlequina – rzuciła Baśka, a w Janinie znowu wezbrał gniew.

Ugryzła się jednak w język. Przecierpi tych parę dni. A potem z ulgą wyjedzie.

Mogła walić na oślep. Paroma słowami wyrwać Baśkę z niewoli jej ciała, przestawić stosunki z mężem na inny, prawdziwszy tor. Nie czuła się jednak na siłach być Bogiem. Może sprawy same się rozwiążą.

Czy Bóg też czasami tak myśli?

Aż podskoczyły, gdy ktoś zapukał, a potem z rozpędu nacisnął klamkę.

Do pokoju zajrzał Michał. Stał w progu i przesuwał spojrzenie: od Janiny do Baśki, od Baśki do Janiny.

Wreszcie wycofał się i zamknął drzwi za sobą.

– Wrócił – panikowała Baśka. – Wrócił. Mój Michał. To chyba znaczy, że mam do niego wyjść, prawda?

I dalejże do łazienki, myć się, czesać, malować.

Natomiast Janina wymknęła się na korytarz.

Michał stał przy oknie na korytarzu i usiłował zrozumieć.

Spojrzał na nią, szukając ratunku.

– Co ty tu robisz? To zmowa jakaś?

Janina miała właśnie odpowiedzieć, że Baśka nic nie wie i wiedzieć nie powinna dla dobra nie tylko Janiny, ale i swojego własnego, kiedy jej współlokatorka ze świeżym malunkiem na twarzy wypadła zza drzwi na korytarz. Na widok Janiny u boku Michała stanęła jak wryta.

– To wy się znacie?

Janina dawała Michałowi nieśmiałe znaki, ale nie zrozumiał.

– Zmówiłyście się? – warknął do żony. – Po co była ta szopka?!

– O co ci chodzi? – nie zrozumiała Baśka.

Janina wpadła w panikę. Już tylko sekundy dzieliły ją od katastrofy.

– My się po prostu znamy, Basiu – powiedziała.

– Skąd? Jak?

Baśka wodziła wzrokiem od jednej do drugiej speszonej twarzy, usiłując zrozumieć.

Aż zrozumiała.

Już odchodziła, niech sami omówią, co ich boli, ale Baśka złapała ją za ramię, za tłuszcz na ramieniu, niech stoi, niech się tłumaczy tłusta uzurpatorka, podrywaczka w kształcie stogu siana.

– Dlaczego z nią? Starsza ode mnie, gruba, zaniedbana. Sapie, kiedy chodzi. Spójrz na nią, no patrz!

Janina była winna, ale tego nie zamierzała słuchać. Dość już pogardy zniosła. Oderwała od siebie palce Baśki, które zmieniły się w krabie szczypce, i odeszła. Przecież nie miała pojęcia, że nie-Maniana ma żonę. Nie zgrzeszyła przeciw niej. Zgrzeszyła przeciw Pawłowi. I została ukarana.

A jeśli chodzi o Baśkę, zawinił Michał. Niech on się tłumaczy, bije w piersi. Jej nic do tego. Dźwiga własne ciężary.

Baśka

Baśka patrzyła to na niego, to na szerokie, ozdobione oponami do tira plecy Janiny oddalającej się korytarzem. Michał był strasznie speszony. I jeszcze się stawiał.

Właśnie przez jego wieloletnią tresurę pogardziła od pierwszego wejrzenia Janiną – człowiekiem z opon, Janiną – nieopanowaną, tarzającą się w okruchach sezamek na wczasowym łóżku.

– Jak śmiałeś?! Mnie się brzydziłeś, kiedy utyłam, a z nią poszedłeś do łóżka?!

– Ja się brzydziłem?! Sama siebie się brzydziłaś!

– Dlaczego akurat ona? Wyjaśnij mi.

– Baśka, to nie ma sensu.

– Co ona ma, czego ja nie mam?

– Lubi swoje ciało. Nie zwraca uwagi na to, jak wygląda – tłumaczył.

Poczucie krzywdy aż ją zatkało.

A kto bez przerwy komentował każdy jej strój, każdy kilogram, każdą fryzurę? Stawała w progu domu jak przed jury na konkursie Miss Polonia. Pierś wypięta, pełny rynsztunek. Kto kupował jej bieliznę w rozmiarze jak dla nastolatki i marudził, kiedy się w nią nie mieściła?

– Nigdy się nie najadłam na żadnym przyjęciu. Nigdy nie zjadłam ani kawałka kiełbasy z grilla, najwyżej skubnęłam kęs z twojego talerza. Na niczyich urodzinach nawet nie nadgryzłam tortu, tylko rozsmarowywałam go po talerzu, żeby myśleli, że chociaż spróbowałam. – Pociągnęła nosem. – Spróbuj być piękny bez przerwy, dzień po dniu, bez przerwy na grypę, depresję, sen zimowy, gorsze dni, poronienia i katary. Spróbuj.

– Baśka, co ty opowiadasz?!

– Od ciebie nikt tego nie oczekuje. Możesz mieć brzuch i łysinę. I stare gacie.

Na dźwięk słowa „łysina" odruchowo się wyprostował.

Za jej męki odchudzania, za głodowanie, utrzymywanie wyglądu dwudziestoparolatki, gdy zbliżała się do czterdziestki, lizał i ciamkał tamtą babę?

Teraz potrafił tylko powiedzieć:

– Uspokój się.

– Dobrze, że z dzieckiem się nie udało – powiedziała Baśka, która właśnie postanowiła zranić go jeszcze dotkliwiej niż on ją.

I nagle nie było już nic więcej do powiedzenia. Poza: „Nie znienawidźmy się do końca".

Janina

Michał dogonił ją przed budynkiem, nietrudne to było, skoro jej wielkie ciało nie potrafiło szybko chodzić. Stał przed nią i wyglądał jak wtedy. Niemal jak wtedy, bo teraz patrzyła na niego w nowy sposób, trochę mądrzejsza.

– Nareszcie cię znalazłem.

Miło, kiedy mężczyzna patrzy na ciebie w taki sposób, Baśka miała rację.

– Nie odpowiadałaś na telefony.

– Zdradziłeś żonę.

– Moje małżeństwo było pomyłką. Ja zmądrzałem, Jasiu. Zmieniłem się. Już wiem, czego chcę.

Janina nie miała siły odpowiadać. Odwróciła się, żeby odejść, marząc jednocześnie, żeby ją dogonił i narzucił swoją wolę. Nie powinna ranić Baśki, ale już się stało.

Pawła też nie dotyczyło to, co teraz zrobi.

Boże, dlaczego ona zawsze myśli o innych, nigdy o sobie? Chce go? Jeśli chce, to ma, bo właśnie dogonił ją i złapał za łokieć. Ten sam, który wcześniej ścisnęła Baśka. Będzie miała siniaka.

– Nie rób mi tego. Przewaliłem przez ciebie życie do góry nogami.

I to niby ona była winna?

– Wierzę, że z tobą będę umiał przejść przez życie. Że nam się uda – darł na strzępy jedenaście lat życia z Baśką.

Baśka

Wyjrzała przez okno. Stali naprzeciwko siebie przy jego samochodzie.

No proszę, jak gruba wykiwała ją swoim fałszywym współczuciem.

Michał wyglądał jak syn Janiny, ginął między jej monstrualnymi cycami.

Rozmawiali.

Na pewno o tym, że jedenaście lat jego pracy nad uformowaniem Baśki było pomyłką. Że on teraz chętnie zabrałby się do obracania w palcach nowego kawałka materii, stęchłej pierzynki, wepchniętej w dres z polaru.

Baśka była prawie pewna, że Michał zaklina Janinę, by poprowadziła go przez życie, by udzieliła mu trochę swojej ludowej mądrości, bo jak on sam siebie bierze za drogowskaz, to mu wychodzi nieudane małżeństwo. Nieudane jedenaście lat z kobietą, która – głupia – zgodziła się go słuchać. Ale teraz, z Janiną, odnajdzie mądrość matki ziemi. Ona nim pokieruje, ona go nakarmi. Nakarmi ich oboje.

Tak pewnie do niej mówił. Albo jakoś podobnie, bo widziała przez okno, że Michał cały czas nawija, widziała to nawet przez oczy zamglone łzami, że czaruje, tokuje, przekrzywia głowę, szukając wzrokiem oczu Janiny.

Zamiast koronek będzie jej przynosił ciastka.

Będą żyli długo i spożywczo.

A szczupła Barbara w towarzystwie swego drewnianego kochanka będzie hodować smukłe mięśnie, siłę woli i płaski brzuch. Nie na darmo, dla koleżanek z pracy. Dla własnej rozkoszy patrzenia w lustro. Dla odbicia w lustrze, dla gwizdów robotników na ulicy i po to, by na plaży nic jej nie zwisało.

Walnęła czołem we framugę okna, aż i szyba, i czoło boleśnie się zarysowały.

Janina

To było kuszące.

Nikt nigdy nie patrzył na nią z takim ogniem w oczach jak teraz Michał. Może Paweł, ale tak dawno, że już nie pamiętała.

Z okna wlepiała w nich wzrok jej współlokatorka.

Patrz. Naucz się czegoś. Można mieć tyłek jak waliza i podziw faceta. Boli? Ale może wyleczy, myślała Janina, zanim przypomniała sobie, że teraz postanowiła zajmować się sobą, a nie Baśką. Ani nikim innym.

– Dobra, jedźmy – przerwała wywody Michała.

– Słucham?

– Powiedziałam, żebyśmy jechali.

– Dokąd?

– Wymyśl coś.

Wcisnęła się do samochodu, aż auto jęknęło. Michał zamknął za nią drzwi, trochę za wcześnie, bo boleśnie uderzyły ją w wypięte pośladki, widać Baśka szybciej ładowała się do środka. Przeprosił. Odczekał, aż Janina się usadowi.

Wszystkie jej rzeczy zostały we wczasowym pokoju. Ale i tak nie chciałaby w takim momencie mieć na sobie koszuli od mamy.

– Zatrzymamy się na stacji benzynowej? Potrzebuję szczoteczki do zębów.

Baśka

Nawet nie zauważyli, że wyszła z budynku.

Przez chwilę się wahała, czy iść dalej. Bo przecież jeśli Michał wytłumaczy, teraz, na parkingu, Janinie swoją pomyłkę i przybiegnie do Baśki do pokoju, przeskakując po dwa schodki? Wróci, a ona mu przebaczy i wszystko będzie jak dawniej?

Gdy jednak dotarła do miejsca, z którego widać było parking, zrozumiała, że Michał nie wróci. Właśnie zamykał za Janiną drzwi samochodu, jak je zamykał przez jedenaście lat za Baśką. A potem szybko odjechali.

Dopiero przy płocie Baśka uświadomiła sobie, że krew spływa jej z czoła, musiała skaleczyć się o cholerną szybę. Położyła się na ziemi, tarła głową o trawę mokrą od rosy.

Ktoś, kto wychodził z budynku, dziwnie na nią spojrzał. Nic jednak nie powiedział, w czasach królowania telewizji ludzie nie dziwią się już niczemu.

Baśka marzyła, że wróci do swojego mieszkania z wielką pochodnią w ręku i wypali wszystko od środka, do szczętu. Spali satynową pościel, którą uwielbiał Michał, pastylki antykoncepcyjne, które tak fatalnie zawiodły ją w Egipcie, koronki i strój, w którym chodziła na salę gimnastyczną. Spali ten obrzydliwy telewizor plazmowy oraz ich zdjęcia ślubne.

Wyjałowi, co było, resztę urządzi inaczej i rozpocznie nowe życie ze swoim drewnianym partnerem, który ma tę przewagę nad każdym innym, że nie potrafi zranić (chyba że w udo wejdzie drzazga).

A ona będzie wyglądać, jak chce, wymieniać z koleżankami przepisy na ciasta i umawiać się na piwo z frytkami.

I nareszcie nikt jej nie będzie mówił, ile ma jeść. Nie pozwoli na to już nigdy.

Janina

Jechali powoli, bo już było ciemno, a droga taka sobie. Rozmawiali o wczasach, starannie pomijając osobę jej współlokatorki, o stanie dróg, o tym, ile pali jego samochód. W końcu włączył radio, które wypełniało skutecznie ciszę, można było nawet dowcipnie skomentować słowa spikera.

Zatrzymali się na stacji benzynowej, gdzie Janina nabyła również sezamki. Kiedy Michał to zobaczył, zaproponował kolację. Przechodząc ze sklepu do baru, minęli część motelową stacji. Czy to tam wylądują?

Czuli się jak przed ważnym egzaminem, więc przedłużali posiłek, w smrodzie starego oleju do frytek i cienkiej kawy, którą pod ścianą pili wykończeni tirowcy.

Do baru weszła jakaś para w średnim wieku, kupowali napoje energetyzujące, kłócili się. Do momentu, gdy kobieta spojrzała na Janinę. Raz. Drugi. Coś zaszeptała do swego towarzysza. Ten też spojrzał. Gapili się na Janiny twarz, dres, ciało pod dresem, sportowe buty, i znowu na twarz. Wlepiali w nią wzrok bez żenady, jakby siedziała w telewizorze, a nie parę metrów od nich.

– O co chodzi? – spytał Michał. – Znasz ich?

Kobieta podeszła do nich.

– Wygląda pani szczuplej niż w telewizji – zaczęła na dzień dobry.

Wpatrywała się w Janinę, jakby rozbierała świńską tuszę. Mąż ślepił na nie spod kasy. Grzebiąc w kieszeni, dał krok w ich kierunku.

Michał popatrywał to na Janinę, to na tamtych.

Janina starała się skupić na swojej kurze panierowanej, ale jakoś przestała jej smakować. Frytki też wydały się jej za zimne, za tłuste.

– Tak. Dużo szczuplej. Ale bladziej – ciągnęła kobieta. – Powinna się pani na co dzień też malować. Bo oczy pani znikają.

Jej mąż wreszcie wygrzebał w kieszeni komórkę i namierzył cel. Janina spuściła głowę. Nie chciała być na żadnym zdjęciu.

Już zapomniała, ukryta po uszy we wczasowej enklawie, że parę miesięcy temu przestała być anonimową grubaską. Teraz stała się grubaską mimo-że-jestem-gruba-to-pokazują-mnie-w--telewizji.

– I w tamtych włosach też pani lepiej wygląda niż w tych – ciągnęła niezrażona kobieta.

– Co pan w ogóle robi? – rzucił się Michał, osłaniając Janinę własnym ciałem.

– Zdjęcie. – Facet wzruszył ramionami i wycelował komórkę w twarz Michała.

– Zwariował pan? – wybuchnął Michał. – Nie życzymy sobie.

Janina zasłoniła się dłonią.

– Tylko jedno – prosiła kobieta. – Pochwalę się koleżankom. Co pani je? Co pani tu poleca?

– Chyba mnie pani z kimś pomyliła – wybrnęła Janina, zmieniając nieco głos. – Nie mam pojęcia, o co chodzi.

– Jasia. Z programu *Gotuj z Jasią*.

– A, to – nieumiejętnie grała Janina. – Zapewniam panią, nie mam z nią nic wspólnego. Choć

187

rzeczywiście myli nas wiele osób. Cóż, żaden to dla mnie komplement – pozwoliła sobie.

Kobieta gapiła się na nią badawczo.

– Marek, nie pstrykaj. To nie ta – wydała wreszcie wyrok i odtoczyli się z mężem ku swoim sprawom.

Epizod ten jednak spowodował, że bombardowały ich spojrzenia nie tylko z całego baru, ale i zza kontuaru, gdzie chichotały dwie białowłose blondynki z odrostami.

– Gotuj z Jasią? – zainteresował się Michał.

– Też mi pstrykniesz zdjęcie?

– Nie denerwuj się. Jakbym wiedział, wcześniej bym zareagował.

– Chodźmy już – powiedziała Janina.

Tyle że kelnerka właśnie doniosła dwie szarlotki na ciepło z bitą śmietaną. Śmietana co prawda ze sprayu, ale jabłka kwaśnawe, jak trzeba, z wyczuwalnymi cząstkami. I ciasto nie najgorsze.

Właściwie nawet pocieszająco smaczne.

Janina dopiero po chwili podniosła wzrok znad talerzyka.

Chyba jej się nie wydawało: Michał patrzył na nią inaczej niż wcześniej. Cholerna telewizja.

– Obliż palec jak wtedy, gdy cię poznałem. Proszę.

A więc o to mu chodzi.

Niech ma. Nabrała na palec śmietany, podniosła dłoń do ust. Patrzył z nadzieją. Chwilę zmagała się sama ze sobą. W końcu opuściła rękę na stół.

I to wcale nie dlatego, że dwie białowłose ciągle się na nią gapiły.

Nie potrafiła. To nie był teatr, to miało być życie.

Pokój w motelu. Cytrynowy zapach środków czyszczących, pościel z kolorowej kory na łóżku, żeby nie trzeba prasować, żeby nie było widać plam. Okno wychodzące na szosę i bar, w którym zjedli kolację. Jego bagaże na podłodze. Poszedł umyć ręce, potem ona się odświeży. A potem co?

Usiadła na łóżku i zdjęła buty. Spojrzała na swoje stopy w sportowych skarpetkach. Ona i sport, też coś. Uśmiechnęła się.

Wyszedł z łazienki, stanął w drzwiach.

Wyglądał przekomicznie, jak stary mąż. W łazience przyczesał czarne włoski. Nie wiedział, co zrobić z rękami, więc z udawaną nonszalancją wsunął je do kieszeni, co jednak nie do końca ukrywało jego onieśmielenie, przeradzające się z wolna w przerażenie.

Jeszcze ucieknie, pomyślała Janina i parsknęła śmiechem. Musiała ten chichot połknąć, zdusić w sobie, żeby wyjąkać:

– Nie z ciebie się śmieję, tylko z sytuacji. Nie widzisz, jak wyglądamy?

Nie widział.

– Przydrożny motel, powinniśmy się rzucić na siebie, nie zdejmując kurtek, a my się szykujemy jak do oficjalnego obiadu.

Mycie rączek, czesanie włosowych niedobitków, zasznurowane, oficjalne miny. No, ale tego już nie powiedziała.

Usiadł naprzeciwko. Powoli się uspokajała. Położył dłoń na jej ręce. Miał ciepłą i suchą skórę, trochę szorstką.

– Dlaczego nie odbierałaś telefonów ode mnie?

– Przecież miałam męża, jak to sobie wyobrażałeś?

– To po co ze mną poszłaś? Wtedy, w tej kawiarni?

– Wzięłam cię za kogo innego.

– Nie rozumiem. Wybacz, ale nie rozumiem.

– Trochę zgłupiałam.

Zrobiła mu wyraźną przykrość. A przecież nie mówiła całej prawdy. Był dla niej w połowie Manianą, uroczym chłopakiem z mejli, ale w drugiej połowie sobą, łysawym inżynierem w średnim wieku, którego ręce pachniały dyskretną wodą kolońską.

– Po prostu mi się spodobałeś. Byłeś sobą. A potem… Nie wiem… Potem to było po prostu… no, pożądanie.

Udało się to wymówić. Michał rozkwitł wyraźnie.

– Bo dla mnie… Dla mnie to było niesamowite. Jak… Jak nigdy – wykrztusił.

Pokiwała głową. Nie potrafiła o tym rozmawiać. On też najwyraźniej nie. Ale jakoś sobie radzili.

– A dlaczego kazałeś mi być… – Chyba się zaczerwieniła, miała nadzieję, że tylko na dekolcie, schowanym pod bluzą. – Dlaczego tam, na tym… dywanie, w hotelu, kazałeś mi być cicho?

– Tak powiedziałem?

Pokiwała głową.

– Przepraszam, jeśli cię uraziłem. Może odruchowo. Byłaś taka wyzwolona, spontaniczna…

Paweł też się tego bał. Gdy zaczęła być wyzwolona, przeraził się.

Na śmierć.

Janina podwinęła stopy pod siebie, nie mogła już patrzeć na sportowe skarpetki, tak idiotyczne, niepasujące do jej pulchnych stóp.

– Powiedz, naprawdę byłam jedyną osobą, z którą zdradziłeś Baśkę?

– Powiedziała ci?

– Wtedy jeszcze nie wiedziała, że się znamy, ty i ja.

– Tak. Nigdy przedtem jej nie zdradziłem.

– Dlaczego ja?

– Bo byłaś niesamowita. W tej kawiarni, pełnej młodych ludzi, wylizywałaś talerzyk, nie zwracając na nikogo uwagi, otwarcie zadowolona z życia. Nie zwracałaś uwagi, że bluzka za ciasna, Baśka by od razu się spięła, zamknęła w toalecie, wróciła do domu, a ty… poszłaś ze mną. Bo miałaś ochotę. Pomyślałem: ta kobieta umie żyć. Dużo lepiej ode mnie, od Baśki. Umie się kochać.

– Myślisz, że tamten czas, tych parę godzin, prze-kreśla nasze związki? Twój z Baśką? Mój... Mój z... Z moim mężem?

Imię Pawła nie przechodziło jej przez usta w tych okolicznościach.

– Pewnie by nie przekreślał, gdybyśmy byli z nimi szczęśliwi. Ale gdybyśmy byli szczęśliwi, tobym cię nie szukał. Ani ty mnie.

Szczęśliwa? A co to znaczy?

– Nie wiem, czy kogoś szukałam. Może po prostu chciałam z kimś pogadać. A reszta... Tak wyszło.

– Tak naprawdę to rozmawiamy dopiero teraz. – Uśmiechnął się, a w tym uśmiechu młodniał i cofał się w czasie.

– Czułam się cholernie samotna. Nadal się czuję. Bo-ję się być sama, lubię być z kimś. Nawet z... – zawahała się, czy powiedzieć o Pawle, ten facet nie był jednak odpowiednią osobą do analizowania jej małżeństwa. – W każdym razie: trudno mi samej. Ale właśnie docho-dzę do wniosku, że w życiu wcale nie musi być łatwo.

Zamilkła.

Janina

Michał ciągle stał w drzwiach łazienki, jakby mu-siał lepiej określić sytuację, zanim się zbliży do Ja-niny.

– Powiedz: było ci z nim dobrze? Z twoim mężem?

– Gorzej, niż marzyłam, gdy za niego wychodziłam. Ale przywykłam.

To brzmiało mało romantycznie, sama wiedziała. Jej uczucia dalekie były jednak od romantyzmu. Nie przypominały w niczym burz namiętności opisywanych w romansach, jak i jej wygląd nie przypominał w niczym urody ich bohaterek.

Wiedziała jedno – bez Pawła czuje się niekompletna. I co dziwniejsze, teraz bardziej jej brakowało pierwszego Pawła, sprzed zawału, złośliwego przystojniaka, który przez lata dręczył ją suknią ślubną. Z tym drugim, spokojnie uśmiechniętym starszym panem, jaki się objawił pod koniec, żyła za krótko, żeby się przyzwyczaić.

Ten drugi jej nie krytykował, ale nadal nie wiedziała, czy dlatego, że ją zaakceptował, czy też już w ogóle nie miał ochoty mówić.

Poczuła tak straszną tęsknotę, że łzy stanęły jej w oczach.

– Co się stało? – spytał Michał.

Stara wariatka, raz się zanosi śmiechem, za chwilę łzy roni.

Michał już o nic nie pytał, tylko ją przytulił. Zapadła twarzą w jego bluzę pachnącą wodą kolońską, a tęsknota razem ze łzami wsiąkała w miękką bawełnę.

Gładził ją po włosach. Milczał.

Odsunęła się od niego, żeby wytrzeć nos.

– Dziękuję.

Właściwie mogła mu opowiedzieć to, czego nie opowiadała jeszcze nikomu.

Janina

– Znowu dzwonił ten facet – powiedział Paweł zagubiony, zdezorientowany.

– Jaki facet? – przez chwilę nie wiedziała, o co chodzi.

– Ten co zawsze – odpowiedział. – Ostatnio często do ciebie dzwoni. Na domowy telefon.

Siedzieli na balkonie, trzymając się za ręce. Popatrywała na niego. Już nie był taki młodzieńczy, rysy mu zgrubiały, ruchy ociężały, nad spodniami wypiętrzał się brzuszek. Tę swoją wyjściową twarz zagubił chyba w szpitalu, a może została w studiu telewizyjnym, tego dnia, gdy dostał zawału. Drugą twarz, domową, sarkastyczną, też gdzieś postradał. Teraz miał trzecią – trochę nieobecną, pogodną, choć bezmyślną. Ogorzał od wysiadywania na balkonie, ale to jednak była zupełnie inna opalenizna niż ta z solarium. Wyglądał na swoje lata, nawet starzej. Wydało jej się nagle, że los umieścił u jej boku przygaszonego rencistę działkowca, który potrafi godzinami wpatrywać się w kwitnącą czeremchę na podwórku.

Ale w końcu wykazał aktywność.

– Zrobisz na obiad pieczone kartofle z ziołami? – spytał któregoś dnia.

Łaził od jakiegoś czasu za nią, po całym mieszkaniu, co jej przeszkadzało, bo spieszyła się do producenta na naradę w sprawie kolejnych odcinków, potem miała spotkanie kółka grubasów. Przestraszyła się nawet, że Paweł źle się czuje, ale on najwyraźniej był głodny. Nie wierzyła własnym uszom, że poprosił o takie tłuste i pełne węglowodanów danie. Już szła do kuchni, już wyjmowała obieraczkę, gdy spojrzała na zegarek i powiedziała:

– Muszę lecieć. Odgrzej sobie wczorajszą zupę. A ziemniaki zrobię ci na kolację. Jeśli sam obierzesz, będzie szybciej.

– Ja obiorę? – zapytał bezradnie.

– Właśnie. Pa!

I pobiegła.

Ku jej zaskoczeniu Paweł obrał, co miał obrać. Bez wprawy, grubo i topornie, ale za to ponad kilogram.

Za dużo – chciała go zrugać, ale patrzył z taką dumą znad gara z wodą pełnego ziemniaków, że pogłaskała go tylko po podbródku. Rozpromienił się. No i wszystko zjedli. Ona niemało, ale i Paweł jadł ze smakiem, jak nigdy.

Kiedy podniosła się, by zebrać talerze, dał znak, że za wcześnie, tak właśnie: dał znak, nie – powiedział.

Pochylił się nad półmiskiem i pochłonął szybko resztę, zupełnie nie przejmując się dietetyką.

I dokąd cię ta dieta zaprowadziła, biedaku, użaliła się nad nim w myślach.

Ponieważ był taki grzeczny, dała mu jeszcze kieliszek czerwonego wina, na serce. Niech ma.

Od tego czasu obierał i siekał warzywa, kroił mięso. Nawet ciasta miesił, może zbyt długo, z nadmiernym zapałem, jakby obcowanie z wilgotną strukturą sprawiało mu zmysłową przyjemność, stanowiło grę wstępną przed jedzeniem.

Po miesiącu trochę się zaokrąglił, poróżowiał na twarzy. Po dwóch – powiedziałaby, że nawet przytył. Zaczął się uśmiechać do niej, bez słów, gestem prosić o dokładki. Mówiła do niego, wydawało się, że chętnie jej słucha. Początkowo nawet zagadywała go, wypytywała, ale wtedy spinał się, stresował, twarz mu tężała, jak dawniej. Żeby miał tę nową, obojętną, zmierzającą chwilami w kierunku życzliwości, musiała mówić ona. Opowiadała więc, co na kółku grubasów, relacjonowała, trochę zażenowana, że poszła na casting do programu kulinarnego, że w sumie jej wszystko jedno, ale chętnie by sobie pogotowała na ekranie, czułaby się w tym przecież pewniej niż w programie medycznym. Że ma jechać z dziewczynami z kółka na piknik i że będzie świadkiem na ślubie jednej z nich, Teresy. „Tej, co łzawiła, pamiętasz?", pytała, ale nie pamiętał. Zwolnienie lekarskie z uczelni przedłużano mu co miesiąc, a telewizja odeszła w przeszłość, więc godzinami wysiadywał na balkonie, patrzył na wróble, psy na dole, liście, chmury. Siedział, a twarz mu łagodniała.

Gdy Janina po raz pierwszy go takim zobaczyła, aż cofnęła się zawstydzona, jakby ujrzała go nagiego (dawno, oj dawno nagim go nie widziała). Ale on, nic a nic niezawstydzony, przesunął na nią wzrok i się uśmiechnął! Nigdy, nigdy tak się nie zachowywał, nawet gdy miała jeszcze wiotką talię, a on lubił ją całować.

Z nowym entuzjazmem zaczęła pracować nad figurą, ćwiczyła, gdy poszedł spać, chodziła z dziewczynami z kółka na siłownię, gdzie odważała się jednak tylko pedałować na rowerku. Po ćwiczeniach czuła się zmęczona, ale pełna przewrotnej energii, dobrze jej robiły, choć wskazówka wagi tkwiła w miejscu jak przyklejona. Przyklejone miały być chyba i jej balony u góry, i opony w talii, i dwa schaby poruszające się w górę i dół z tyłu pod spódnicą. Taka była ona, Janina Rydel, lat pięćdziesiąt dwa, sto kilkanaście kilo.

Tego dnia, gdy weszła na balkon podać Pawłowi herbatę (z ciasteczkami, a jakże, bo sama herbata wydawała jej się żałośnie pozbawiona treści), pogładził ją po grubej dłoni z napiętą skórą. Nie przypuszczała, że tak ją to uskrzydli. Chciało jej się skakać, śpiewać i gdyby nie spojrzenia łysych osiłków przed siłownią, poszłaby poćwiczyć i pedałowałaby nawet całe czterdzieści minut, czuła to. Ale widok osiłków ją zmroził, więc tylko wybrała się na spacer, długi, radosny. I choć się zasapała, to czuła, że żyje, że jeszcze wszystko będzie dobrze, a na deser zrobi maliny z bitą śmietaną. Posypane pestkami granatu i pokruszoną bezą. Z odrobiną kardamonu.

W parę dni potem Paweł przeniósł się z fotela na balkonie do gabinetu, gdzie całymi godzinami przeglądał swoje rzeczy. Wyrzucał. Codziennie nosiła na śmietnik tony makulatury, stosy papierów. Czasem obracała po kilka razy, ale nie protestowała. On po zawale nie powinien był dźwigać, a poza tym miała wrażenie, że zaczął się bać wychodzić z domu dalej niż na balkon.

Kolejnego dnia, gdy opróżniała kosz do kontenera, nagle zamarła, pośród wysypanych śmieci zobaczyła jego słynne ślubne spodnie, pęknięte na udach. Poszukała patyka na trawniku pod śmietnikiem i wyłowiła je z pojemnika. Stała tak chwilę, patrząc na nienawistne, wełniane narzędzie tortur w kolorze marengo. Paradoksalnie było jej trochę smutno, jakby miała pogrzebać w tym śmietniku męża, swojego przystojnego, opalonego, szczupłego Pawła. Którego podziwiała, którego się bała, na którego miłość nie udawało się jej zasłużyć. Z powodu blaszanej psiej miski, miłości do masła, oliwy i bitej śmietany oraz świeżego chleba; bo im groźniej, im złośliwiej na nią patrzył, tym bardziej chciała się od niego odgrodzić tłustą pierzynką. Nie zasłużyła na jego miłość i choć podobno pokochali ją telewidzowie, o czym świadczyła niezła oglądalność, choć dziewczyny z kółka grubasów nie wyobrażały sobie bez niej spotkania, choć lubiła ją cała ekipa programu, a i producenci również, to jednak miłości młodzieńczego, przystojnego człowieka sukcesu, czyli własnego męża, zdobyć nie zdołała. Zdobyłam dopiero akceptację tego tłustawego ramola, pomyślała i ją samą zaskoczyła własna pogarda.

Spojrzała w górę. Tak, Paweł zalegał na balkonie. Gapił się przed siebie z bezmyślnym wyrazem twarzy, co widziała wyraźnie dzięki starczej (jak określił ją okulista) dalekowzroczności, która zaczęła jej dokuczać ostatnimi czasy. Paweł spojrzał w dół. Za mało miał energii, by do niej pomachać, więc uśmiechnął się tylko ufnie i promiennie. Odmachała do niego, bo niepozytywne emocje nie pozwoliły jej na szczery uśmiech, a nieszczerego nigdy jakoś nie potrafiła wyemitować.

A potem wrzuciła spodnie z powrotem do śmietnika, patrzyła na nie przez chwilę, jak bezradnie tam leżą – zniszczone, ale w rozkraczonej, zrelaksowanej pozycji – i wbiła im w sam środek patyk, który ciągle trzymała w ręku. Zupełnie jakby dobijała dawnego

Pawła. Niech nie wraca. Tamten się do niej nigdy nie uśmiechał, nawet nieszczerze. Jeszcze raz spojrzała na balkon. Jej mąż patrzył na nią. Z sympatią. Odwzajemniła uśmiech. Promiennie. Witaj, nowy Pawle. Ja też cię kocham.

A potem pomyślała, że jeszcze dokupi płatków migdałowych i upanierują w nich piersi indycze. Ona lubi gotować, a jej nowy mąż wydaje się akceptować wszystko, co mu przyrządza. Może nawet zjedzą na balkonie?

Narzuciła sweter, krzyknęła do niego, że idzie na zakupy. Po powrocie usmażyła, co trzeba, i wyniosła na balkon mały stolik. Przy wynoszeniu grzmotnęła nim niechcący we framugę, ale ten nowy Paweł tego nie skomentował, nawet się nie poruszył. Nakryła niewielkim obrusikiem. On nadal siedział z półprzymkniętymi oczami, spokojnie uśmiechnięty. Wróciła z kotletami. Nałożyła mu.

– Dlaczego nie jesz?

Nie odpowiedział.

Zajrzała mu w twarz, szukając jego wzroku.

Nie patrzył na nią. Nie patrzył na nic, może gdzieś w przestrzeń, przez nią, poza nią.

Nie drążyła tematu, siadła obok, nałożyła i sobie.

Zjadła. Nieźle wyszło.

Szkoda, że nie mógł spróbować.

Nie sprzątała po obiedzie, została przy Pawle, siedząc, milcząc, gładząc go przez rękaw po ramieniu, patrząc w niebo, odpowiadając na „dzień dobry" sąsiadów.

Jej mąż coraz bardziej nieruchomy, coraz zimniejszy.

Trudno jej się było z nim rozstać, bo wiedziała, że to będzie już na zawsze.

Do zakładu pogrzebowego zadzwoniła dopiero wieczorem, kiedy powoli przestawał wyglądać jak on.

Nie płakała, patrzyła na łóżko, na poduszkę wgniecioną na środku.

Pusto.

– Kiedy to się stało? – spytał Michał.

– Osiemdziesiąt cztery dni temu.

– Liczysz?

– Nie muszę.

– Po czymś takim trudno się z kimś związać.

– W ogóle trudno się z kimś związać – oznajmiła Janina.

Pokiwał głową. Otuliła się kołdrą, choć podwójne łóżko wyglądało jak pułapka. Ale zmarzła. I strasznie chciało jej się spać po tym płakaniu, opowiadaniu, wspominaniu tamtego popołudnia i wieczoru.

Spać! Sytuacja bez wyjścia. Bo przecież nie będzie spać z nim, obcym człowiekiem, cudzym mężem. A już zwłaszcza nie będzie uprawiać z nim seksu. To może wracać? Chyba autostopem. Zostać? Ziewnęła, miała nadzieję, że dyskretnie.

– Mogę wziąć dla ciebie pokój obok – zaproponował. Charakter miał delikatny, jak włosy.

Patrzyła na niego długo, walcząc z sennością. Teraz ona go przytuliła, potrzebował tego. Przez kołdrę, ale i tak czuła jego ciepło. Przymknęła oczy.

Obudziło ją własne chrapnięcie. Zasnęła na siedząco, z Michałem w ramionach. Ułożył ją w łóżku, otulił kołdrą. Położył się obok, pod narzutą. Wtuliła się w niego plecami. Było jej spokojnie. Bezpiecznie. Objął ją dłonią w talii, tyle, ile zdołał, pokonując objętość kołdry i samej Janiny. Ramiona miał ciężkie, ciepłe. Posapywał. Ona też. Zapadała w sen.

Baśka

Była pewna, że tej nocy nie zaśnie. Że już nigdy nie zaśnie.

Więc łyknęła tabletkę. Potem jeszcze jedną. I kolejną.

Wierciła się w pościeli, starając się nie myśleć, starając się nie patrzeć na drugi tapczan, dotkliwie pusty. Który udowadniał jej, że skopała sobie życie. Że męczyła się na próżno. Że nie miała racji. Ani ona, ani jej matka.

Ale jak to nie miała?

Całe jej życie było potwierdzeniem, że racja ulokowała się po chudej stronie.

No, prawie całe życie.

– Musisz jeść, bo umrzesz – gderała matka, odkąd Baśka zaczęła rozumieć, co się do niej mówi.

Mała Baśka wcale nie chciała jeść. Nudziło ją siedzenie przy stole, żucie, przełykanie.

Mama biegła do pracy o świcie, a one zostawały w domu we dwie z babcią. A tam, ledwie skończyła się męka śniadania, płatków na mleku i niezliczonych kanapek, a już nadchodziła tortura obiadu. Babcia stawiała przed napchaną wnuczką barszcz biały, pachnący beznadzieją. Wołowinę do żucia. Warzywa w absurdalnych kolorach amarantu czy oranżu. Wołowinę Basia sprawnie umieszczała w kieszeniach policzków, ale warzywa, wbrew jej woli, rozpuszczały się i gwałcąc barierę niechęci, przenikały do jej krwiobiegu.

Najgorsze były pierogi i pyzy, gdzie smak ginął w masie mdłego ciasta.

Ciastka z cukierni, gdzie pracowała mama, wcale nie były lepsze, ale przecież nie mogła tego powiedzieć mamie, takiej dobrej, takiej troskliwej, takiej dbającej o córkę.

Dlaczego nie wszystko mogło być tak pyszne jak oranżada w proszku, musująca w zagłębieniu brudnej dłoni małej Basi? Akurat na pięć zanurzeń języka? Ukradkiem zdobywana na podwórku?

– To dziecko nic nie je, ona się wykończy – marudziła babcia, a mama wpadała do domu akurat na tyle, by usłyszeć jej gderanie i zdążyć się zmartwić, że drożdżówki nadal stoją nieruszone.

– Musimy zrobić badanie krwi.

Nakłucie palca, wyciskanie krwi na szkiełko przez znudzoną dziecięcym wrzaskiem pielęgniarkę.

– Masz złe wyniki, złe badania, o krok od anemii – lamentowała mama.

I cała niedziela pod znakiem:

– Zjedz marchewkę, zjedz szpinak, zjedz kotlet, zjedz szyneczkę, babcia tyle czasu stała przy garnkach, no jedz, dziecko, dlaczego nigdy nic ci nie smakuje, czym ty żyjesz, powietrzem? Na tej twojej diecie bliżej do śmierci niż do życia, a ty przecież rośniesz, musisz rosnąć.

– Chuda jesteś jak szczapa, jak patyk, jak szkielet, wszystko z ciebie spada, nie ma spodni na takie kościste dziewczynki – wtórowała jej w tym dziwacznym duecie babcia.

Mała Basia kiwająca się nad talerzem: Umrę? Nie umrę? Nie mogę tego przełknąć, ale przepycham przez niechętne gardło, wpycham palcem do środka, niech wejdzie i nie wraca.

Czasem niestety wracało, co trzeba było kryć przed babcią, a zatem i przed mamą, bo dopiero byłoby wyrzekania. A może nawet i babcinego, i maminego zatroskanego płaczu.

– Może ci posłodzić zupę? – pytała babcia.

Słodziła. Wszystko, byleby zabić nienawistny smak nijakości.

– Chociaż drożdżówkę w siebie wciśnij, pyszną, z owocami, samo zdrowie i energia.

Wciskała. Bez przyjemności, gula ciasta ślizgała się po języku.

Nie umrzesz na razie.

Na razie.

Baba-Jaga Śmierć, tę interesowały wyłącznie niejadki. Dzieci z apetytem mogły się wymknąć, oszukać, przeżyć.

Babcia była zadowolona, a zatem i mama była zadowolona.

Baśka nie spała w nocy, przerażona, ona przecież tylko udawała, że ma apetyt, brnęła w jedno wielkie kłamstwo, żeby zadowolić mamę, żeby uciszyć babcię, żeby nie umrzeć teraz, w nocy, na anemię.

Aż w końcu się udało. Nie, nie umrzeć. Zapewnić sobie długie życie.

Nie pamiętała, ile miała wtedy lat. Dziewięć? Dziesięć? W każdym razie wreszcie wtedy poczuła głód, poczuła smak, poczuła zainteresowanie, co dziś na obiad. Pojawił się smutek, że nie ma więcej kotletów. Żal, że tylko trzy kawałki sernika na stole. Tęsknota za podwieczorkiem pojawiająca się zaraz po obiedzie.

I nareszcie dobrze wyglądasz, i nareszcie dobrze jesz, i nie ma zupy bez śmietany, i nie ma dziecka bez odrobiny dziecięcego tłuszczyku, nie ma ziemniaków bez okrasy, nie ma pierogów bez skwarków, nie ma mięsa bez sosu. No, jeszcze może być panierka. I serniczek na deser, to przecież wapń, białko, rodzynki.

Jedz, wnusiu. Jedz.

Jedz, córeczko, jedz.

I uśmiechnięta mama.

I uśmiechnięta babcia.

Baśka

Nigdy w obecności Michała nie pozwoliła matce otworzyć albumu z jej fotografiami z lat szkolnych. Bała się jednak, że matka to zrobi. Kiedyś więc, gdy byli u niej na obiedzie (Basiu, chyba nie powinnaś nakładać sobie aż tyle ciasta, przyniosłam je z cukierni specjalnie dla Michała), Baśka otworzyła ukradkiem szafkę, gdzie leżała, nie tykając, ta bomba zegarowa z jej przeszłością w środku. Wyciągnęła album i wsunęła go do torby. W domu powyjmowała starannie wszystkie swoje zdjęcia do momentu magicznego przeistoczenia, by je rytualnie spalić w umywalce.

– Co tak śmierdzi? – spytał Michał, ale nie odpowiedziała, tylko włączyła wentylator i już po dziesięciu minutach nie pozostał żaden ślad po opasłej, wyleniałej istocie z pryszczatym czołem, z mysimi włosami i z figurą obłego tobołka.

Spalone zdjęcia pokazywały nastolatkę, którą w szkole wszyscy omijali szerokim łukiem. Siedziała sama w ławce, z tyłu, akurat w klasie było nieparzyście, więc była tą dodatkową, tym nadprogramowym żebrakiem na Wigilii.

Obserwowała innych uczniów, jak się podszczypują na przerwach, oczkują na lekcjach, wysyłają liściki, czekają na siebie przed szkołą, umawiają się na randki. Ich spojrzenia omiatały ją jak brudny materac w sali gimnastycznej.

Na przerwach oparta o ścianę jadła kanapkę z szynką albo drożdżówkę i gapiła się na koleżanki z klasy, pokazujące sobie kolorowe gazety pełne uśmiechniętych chudzinek o gładkich buziach, do których starały się upodobnić. Nawet im to nie najgorzej wychodziło.

Baśka nawet nie próbowała. Trwała niepożądana jak wielka tłusta plama na błyszczącej kartce i nienawidziła ciała, w którego głębi się ukrywała. Nienawidziła tak bardzo, że aż dostała na twarzy wrzodów, pryszczy ohydnych, które też szybko wypełzły na resztę ciała, ale tego przecież nie widzieli spod jej obszernych chałatów, które nosiła również na wuefie (nauczyciel machnął na nią ręką, skupiając się na osobach lepiej rokujących).

A co najgorsze: cały czas była zakochana. Głęboko i beznadziejnie. Rozmarzała się przy odrabianiu lekcji, w autobusach, aż przegapiała przystanek i potem musiała wracać na miejsce przeznaczenia groteskowym truchcikiem, aż jej się trzęsło obrzydliwe ciało.

Zafascynowana kolejnym kolegą, który cieplej na nią spojrzał, nie łudziła się jednak, że ktokolwiek wypatrzy w niej coś ciekawego pod zasiekami sadła, wilczymi dołami cellulitu. Śniła o miłości, wiedziała jednak, że jej zainteresowanie może faceta tylko ośmieszyć, więc nie pozwalała sobie nawet na jedno spojrzenie w jego stronę, żeby z obojętności nie przeszedł do nienawiści.

Miłość brzydkich, a przede wszystkim grubych kobiet uwłacza mężczyźnie. Tego nauczyła się wcześnie i trzymała jak pierwszego przykazania.

Lepiej być niezauważaną niż godną litości – to było drugie przykazanie.

– Czy mogę cię prosić do tańca?

Rozejrzała się na boki, czy to o nią chodzi, ale przecież siedziała jak zwykle sama. Tak, właśnie ją proszono. Po raz pierwszy w życiu.

To było już po skończeniu studiów, w jej pierwszej pracy.

Od paru tygodni miała pewność: podoba się nowemu koledze. Wpatrywał się w nią niemal bez przerwy, odprowadzał spojrzeniem od drzwi, a chyba tak właśnie zachowują się zakochani mężczyźni. Udowodnił to teraz, prosząc ją do jakiejś pościelówy na służbowej imprezie, gwiazdkowym datku od firmy dla wołów roboczych.

Wstała, stanęła przed nim, przynajmniej dwa razy od niego szersza. Od razu się skurczyła, by wydać się mniejsza. Ale on, niezrażony jej rozmiarami, chwycił ją mocno w pasie (a raczej w miejscu, gdzie większość kobiet ma talię), jak o tym marzyła od dłuższego czasu. Drugą dłoń położył jej na plecach. Po chwili obie jego ręce zaczęły się przesuwać wężowymi ruchami po jej ciele. Poczuła mrowienie w dole brzucha. To musiało być pożądanie, tyle o nim czytała. Odruchowo wtuliła się w niego. Nareszcie! Czuła się, jakby dotarła do portu. Położyła głowę na jego ramieniu. Niech trwa.

A wtedy on się spiął, po czym odsunął ją delikatnie i popatrzył jej prosto w oczy.

– Nie bierz tego do siebie – wytłumaczył. – Mnie po prostu fascynują grubi ludzie. Grubi ruszają się zupełnie inaczej. Ich ciała falują, pływają, żyją własnym życiem. No i właśnie dlatego napisałem, narysowałem *Niezwykłe przygody pontonmena*. Mówi ci to coś?

Nic nie mówiło.

– Komiks o grubasach. Zajebisty. Opublikowany w niszowym wydawnictwie. Dlatego tak fascynuje mnie twój widok, nie mogę oderwać wzroku. Przypominasz moich bohaterów.

Więc mu się podoba, prawda? Nazywa ją grubaską, bo nią jest, ale jemu się podoba?

– Poprosiłem cię do tańca, bo musiałem sprawdzić, czy naprawdę tak fantastycznie się ciebie dotyka, jak sobie wyobrażałem.

– I co? – zdołała wykrztusić.

– Jeszcze lepiej. Jesteś miękka, puchata, falująca.

Próbowała go zrozumieć, ale nie miała pojęcia, o co tak naprawdę chodzi. Chciała się do niego przytulić.

Jego koledzy pokładali się ze śmiechu pod ścianą. Odsunął się z wyrazem obrzydzenia na twarzy.

– Bądź rozsądna. Chyba nie myślisz, że się w tobie zakochałem?

No cóż, tak właśnie przez chwilę myślała.

Współczuła mu, że postawiła go w niezręcznej sytuacji.

Uciekła stamtąd, włóczyła się po ulicach niepomna, że wieczorami bywa to niebezpiecznym zajęciem. Cały czas miała przed oczami jego zaskoczoną, pełną obrzydzenia twarz.

Do tamtej pracy już więcej nie poszła, wstecznie załatwiła zwolnienie lekarskie, potem wymówiła, bo nie wyobrażała sobie, że po raz kolejny staje przed nim, a on patrzy na nią przepełniony litością.

Wtedy postanowiła: umrze.

Leżała w łóżku i wyobrażała sobie, jak to będzie. Ból? Na pewno. Wysiłek? Tak. Koniec przyjemności z jedzenia, na zawsze. Ale i koniec cierpień z powodu wyglądu. Rozważała skok z mostu (kusiła ją chwila lotu przed upadkiem), łyknięcie pastylek (skąd je wziąć?). Wieszać się nie chciała, nigdy jej ten węzeł nie wychodził. Najprościej byłoby oczywiście podciąć sobie żyły w wannie, ale brzydziła się krwi.

Po jakimś czasie stwierdziła, że zamiast popełniać samobójstwo, może się odchudzać. Trudności, które temu towarzyszyły, były podobne.

Zmieni się albo umrze.

No i zaczęło się. Trzysta skrętów przy muzyce z płyty, trzysta machnięć nogą, tyle pompek, ile zdoła (jedna, i to kulawa, ręce nie mogły unieść ciężkiego ciała), trzysta wznosów ramion z obciążeniem. Żadnych podskoków, stawy mogły nie wytrzymać, na początku więc wszystko w parterze.

Mama była zadowolona, kibicowała jej. Nawet pozwoliła sobie na małe „nareszcie", jakby Baśka za późno doszła do jakiejś oczywistości.

Trzeciego dnia wieczorem zemdlała podczas ćwiczeń. Matka nie zauważyła, Baśka była przecież zamknięta w pokoju. Ocknęła się po kilku minutach, kręciło jej się w głowie. Ciało walczyło, nie chciało zmian.

Napiła się mocnej herbaty z kostką cukru i ćwiczyła dalej, same ramiona, żeby nie poruszać osłabioną resztą.

Po miesiącu straciła siedem kilo. Dostała skrzydeł. Zaczęły się późnowieczorne aerobiki w salonie, już teraz połączone ze skakaniem. Sąsiedzi z dołu słali delegacje do matki, Baśka jednak nie zważała na nikogo.

Robiła brzuszki przez cały film, ze spinaczem na nosie, bo nagle zaczął wydawać jej się kaczy, zapuszczała włosy (to szczęśliwie nie wymagało wysiłku), farbowała, masowała się solą z oliwą, nakładała maseczki, wprowadzała w życie wszelkie zabiegi, które mogły pomóc przekształcić tłustego kaczorka w smukłą księżniczkę.

Zapisała się na aerobik do klubu, okazało się jednak, że ciągle jest grubsza od dziewczyn, które tam ćwiczą. Patrzyły na nią z pogardą, ze współczuciem na zajęciach, z obrzydzeniem w przebieralni, aż postanowiła przebierać się w domu i przychodzić od razu w dresie, żeby tylko nie wystawiać nagiego ciała na ich ocenę.

Na zajęciach stawała więc z tyłu, sama nie lubiła patrzeć na siebie w lustrze, nie chciała też, żeby prowadząca, z hamowaną irytacją, wygłaszała swoje pouczenia właśnie do niej.

Baśka była naj. Najgorsza. Najgrubsza. Najmniej trzymająca się w tempie. Najbardziej czerwona po zajęciach. Wsiadała do tramwaju taka zgrzana, że ludzie obrzucali ją dziwnymi spojrzeniami, mokre, sapiące stworzenie w zbyt opiętym dresie.

Co się dziwić, z taką tuszą zgrzać się łatwo, myśleli pewnie. A ona zaciskała zęby, udając, że nie widzi tych spojrzeń, i myślała: ja wam jeszcze pokażę.

I pokazała.

Na kurs tańca, na którym poznała Michała, zapisała się, gdy doszła do ideału ogólnie znanego z kolorowych pism. Do pełnej doskonałości brakowało jej tylko jednego małego szczegółu.

– Dlaczego się nie uśmiechasz? – pytał Michał.
– Zawsze jesteś strasznie poważna.

Nie wiedział, że swoimi awansami zaskoczył ją w momencie, gdy jeszcze nie zdążyła wybielić zębów.

Dopiero na trzeciej randce błysnęła oślepiająco białym uśmiechem.

– Widzisz, pod moim wpływem nauczyłaś się śmiać – powiedział.

A niech myśli, że ma taką moc sprawczą. Niech będzie z siebie dumny.

Zaręczyli się.

Zabrał ją na jakiegoś grilla, pokazać kolegom. Wstydziła się, nie wiedziała, o czym będzie z nimi rozmawiać, ale okazało się, że nic mówić nie musi. Wystarczyło, że ładnie wyglądała.

Usłyszała ich, wracając z toalety.

– Jak ci się udało zdobyć taką lalkę? – pytali Michała kumple w zachwycie. I rechotanie, i klepanie po plecach.

– Superdupcia. Nie za płaska, wystająca, jak trzeba – entuzjazmował się kolejny z jego kumpli, a reszta go uciszała, że takie komentarze to nie przy Michale.

Michał niby się obruszał, ale widać było, że jest zadowolony i z wyglądu narzeczonej, i z zazdrości kolegów.

– Nogi do samego nieba, no nie? – dołączył do chóru.

No proszę: trud się opłacił, zwycięstwo silnej woli nad tłustą materią. Baśka czuła się jak bohaterka *Seksu w wielkim mieście*. I jak filmowa bohaterka wyprostowała się, wyszła zza węgła i podeszła do swojego odkrywcy. Nachyliła się, by ją pocałował w szyję, a wszyscy mogli obrzucić go zazdrosnymi spojrzeniami jako posiadacza takiej ładnej sztuki.

A potem ładna sztuka odrzuciła włosy i odeszła, starając się kręcić biodrami leciusieńko, akurat tyle, by każdy myślał, że niechcący. Zresztą gdy nogi kończyły się ośmiocentymetrowymi szczudełkami, biodra musiały bujać się z lekka.

Na plecach czuła gorący wzrok kolegów Michała, z których każdy myślał, jak by ją posunąć. Ta świadomość nie była aż tak przyjemna, jak się Baśce kiedyś wydawało. Ale Michał wyglądał na zadowolonego.

Był pewien, że dostał mu się najlepszy kąsek, i cieszył się nim. Nie miał pojęcia, że poczęstowano go ciasteczkiem, na które przez długi czas nikt się nie chciał skusić.

Dlaczego go pokochała? Bo ją wybrał. Był jej pierwszym i jedynym, jeśli nie liczyć chłopca z drewna. Gdy nie prawił jej komplementów, póty się przymilała, póki je sformułował. Kiedy je słyszała, przez chwilę czuła się dobrze.

Był jej jedynym, choć nie można powiedzieć, żeby nie miała okazji tego zmienić. Nagle okazje same zaczęły się do niej pchać, choć mroziła je spojrzeniem spod długich rzęs. Jedna z nich wypowiedziała nawet słowa zaklęcie: „Jesteś najpiękniejszą kobietą w tym budynku".

Był to kolega z pracy, artystycznie nieogolony, z wielkimi czerwonymi ustami, kontrastującymi z cieniem zarostu na policzkach, pożądany przez stażystki i sekretarki, a nawet panią wiceprezes. Podczas wyjazdu integracyjnego, na który wszyscy musieli jechać pod groźbą utraty pracy, podszedł do niej, zagadał, poprowadził ją daleko, ku odległemu oknu za załomem muru. Kiedy wypowiedział zaklęcie, musiała ulec, a on przycisnął ją do ściany, szukał czegoś pod jej bluzką, potem spódnicą. Mimo magicznych słów pozostawała sztywna, ale dawała się całować, podziwiać. Najważniejsze, że to ją wybrał.

Poddawała mu się do momentu, gdy wysapał:

– O rany, niezła dupa jesteś, wszystko na miejscu.

Odepchnęła go. Co ona najlepszego wyprawia? Tam Michał czeka w domu, z miętową herbatą i słowami miłości.

– Ależ jesteś drewniana – rzucił kolega, a kropelka jego wściekłej śliny trafiła ją koło ust. – Po co udawałaś, że chcesz się bzykać? Tylko czas zmarnowałem.

Otworzyła torebkę, wyjęła chusteczkę, wytarła tę kropelkę. Powstrzymała się przed posmarowaniem skóry perfumami, żeby zdezynfekować to miejsce i całe usta, które zbrukał.

– Średnia przyjemność całować się z papierem ściernym – zemściła się niezgrabnie.

Gdy wróciła do towarzystwa, stażystki, sekretarki, a nawet pani wiceprezes patrzyły z zazdrością na jej płonące policzki, wyszorowane zarostem kolegi. Kolega pogardliwie omijał ją spojrzeniem, zaraz zresztą znowu zniknął za załomem muru z kimś, komu nie przeszkadzał trzydniowy zarost.

Łatwo ją zastąpić. Tylko dla Michała była jedną jedyną.

Do momentu, gdy ją zdradził.

Karierę robiła jakby mimochodem, nieuważnie, ceniono ją, choć nie na tyle, żeby awansować, ale na tyle, by raz na jakiś czas dostała niewielką podwyżkę. Nie przyjaźniła się z nikim, trzymała się z boku, jak w szkole średniej. Nie umiała rozmawiać z ludźmi. Dopiero Julita uparła się, by zadzierzgnąć z nią bliższe więzy. Młodsza prawie o dziesięć lat, poprosiła o radę, jak schudnąć. Nie schudła co prawda za dużo, ale się przyssała. Baśka czymś ją zafascynowała. Czym? Nigdy nie spytała.

Słuchała Julity, radziła jej, pomagała. Wdzięczność Julity była psia, przynosiła jej w darze: to jabłko, to kwiatek, to bluzkę z przeceny. Wyciągała do kina, namawiała do wagarów z aerobiku, mówiła: „Chodź, są warsztaty z tańca afrykańskiego, zobaczymy". Albo: „Paliłaś kiedyś fajkę wodną?". Baśka się śmiała, nieufna, chłodna, ale czasem ulegała. Paliła, lecz nie tańczyła. Zawsze z dystansu, oddzielona.

Potem Julita zaszła w ciążę i z miłej wariatki zmieniła się w żywy inkubator.

Baśka znowu została sama.

Z Michałem znaczy.

Już chyba nie zasnę tej nocy, myślała teraz Baśka, gapiąc się w niebo przez szparę w zasłonach. Jeśli jeszcze kiedykolwiek, i łyknęła kolejną pastylkę nasenną.

Mamo, co ja mam teraz zrobić?

– Mamo, co ja mam teraz zrobić?

To było wtedy, gdy mama wpadła do niej znienacka, żeby wreszcie sprawdzić, dlaczego Baśka nie odbiera telefonu, i dowiedziała się, że Michał odszedł.

– Mamo, co ja mam teraz zrobić?

– Na pewno nie to. – Matka ogarnęła wzrokiem i mieszkanie zastawione talerzykami i kubeczkami, i łóżko, z którego Baśka rzadko się ostatnio podnosiła, a w końcu samą Baśkę.

Mama, jak gap uliczny wlepiający zszokowane spojrzenie w rozczłonkowane ciała, zanim je opatulą w czarny worek, nie odrywała oczu od nowej sylwetki Baśki, od jej brzucha, od ud, które teraz nie wyglądałyby dobrze w żadnej mini.

Toteż prezentowały się fatalnie w legginsach.

– Dziecko, przecież tak nie można. Jak ty mieszkasz? Jak ty wyglądasz! Ty się musisz wziąć w garść! Nie pamiętasz, jaka byłaś z tą tuszą nieszczęśliwa w liceum? Na studiach?

Baśka przecież sama wiedziała, że wszystko jest źle.

Ale siłę miała tylko na jedzenie.

Więc potem już głównie śniła.

I jadła.

Po każdym kęsie czuła chwilową ulgę.

Trwała tak, za dnia lawirując między górami żarcia, nocami uciekając przed swoją szpilkonogą prześladowczynią. Smutek podpływał falami, muskał łydki, czasami nawet sięgał kolan, ale mogła już samodzielnie oddychać. Co jakiś czas pojawiał się gniew.

Na samą siebie, że coś w ich związku przegapiła. Na Michała, że żyje sobie swobodnie, a ona bez powodzenia usiłuje zlepić gruzy w rozpoznawalną całość.

Wstawała do ubikacji, żeby się nie zsiusiać do łóżka, ale potem już nawet mniej sikała, bo prawie nie piła. Tylko jadła. Patrzyła w okno: liście już się zakurzyły, zasłaniane co rusz przez wspomnienia defilujące przed nią jak procesja przed ołtarzem na Boże Ciało.

Mama wtargnęła w tę rzeczywistość jak huragan energii.

– Co ty mu zrobiłaś, że cię zostawił? Taki dobry, taki zakochany. Skarb, nie chłopak – i łzy w mamy oczach. – To wszystko przeze mnie. Nie nauczyłam cię, jak żyć z mężczyzną. Jak się o niego starać. Jak się starać o siebie.

Nieprawda. Tego ostatniego przecież mnie świetnie nauczyłaś – chciała zaprotestować Baśka, ale nie miała siły.

Więc leżała, podczas gdy matka próbowała uporządkować jej rzeczywistość. Z obrzydzeniem zbierała talerze i kubeczki, ogryzki i papierki. Z obrzydzeniem zmywała i wynosiła śmieci. Nakazała Baśce się podnieść, umyć i ubrać, choć – gdy zobaczyła ją w ubraniu – tylko z dezaprobatą pokręciła głową.

To przy niej Baśka odsłuchała sekretarkę, która od długiego czasu niemrawo mrugała czerwonym okiem. Nagrał się Michał. Pytał, czy może wpaść na chwilę. Pierwszy raz od ich rozstania. Po co?

Może chce się pogodzić, miała nadzieję Baśka.

Nadzieję? Jaką nadzieję? Przecież gdy Michał ją zobaczy, odwróci się na pięcie, wyjdzie i nigdy do niej nie wróci. A przedtem popatrzy na nią takim wzrokiem jak mama.

– Nie, nie mogę go przecież teraz widzieć. Może za jakiś czas.

Zadzwonił domofon. Michał.

Matka pościeliła łóżko i biegała w popłochu, szukając czegoś, co skutecznie zasłoni ciało jej córki.

Michał stał na dole i niecierpliwie naciskał guzik.

Baśka wiedziała, że powinna otworzyć, piękna jak zawsze, w lekkim, jedwabnym szlafroczku, a on spojrzałby na nią i już został.

Ale nie odbierała, skubała legginsy na ogromnym udzie i czekała, aż domofon umilknie. Mama w końcu zrozumiała. Przestała się miotać, stanęła obok. Poklepała ją po ramieniu, jakby chciała powiedzieć: dobrze robisz, córko.

Mąż nie powinien przecież oglądać swojej pięknej niegdyś żony z powiewającymi skórkami przy paznokciach, z włosami spływającymi tłustą fasolką szparagową do ramion. No i grubej, co najważniejsze, co najstraszniejsze, bo resztę można było przecież w godzinę – półtorej zmienić.

Kiedy uparte dzwonki w końcu ustały, Baśka wyszła z domu w obszernym płaszczu, skrywającym jej nową figurę. Uciekła. Przed Michałem, przed karcącym spojrzeniem matki.

Schroniła się w swoim ulubionym barze na ulicy Zgoda, przyczaiła się w kącie; ściana za plecami, a na ludzi z przodu nie trzeba patrzeć. Miała nadzieję, że i na nią patrzeć nie będą.

Zamówiła de volaille'a i z lubością obserwowała, jak po rozkrojeniu panierowanej powierzchni ze środka wycieka płynne masło z ziołami. Wytarzała w nim kartofle i jadła, a w brzuchu robiło się coraz cieplej. I jeszcze kawa z bitą śmietaną i kulką lodów waniliowych, które rozpływały się białymi smugami. Dosłodziła.

Z podgrzewanej barowej gablotki bezwstydnie wdzięczyła się ryba po śródziemnomorsku. Pani, wydając kolejne porcje, polewała je majonezowym sosem czosnkowym.

Baśka zamówiła i rybę. Mało się nie porzygała, ale zjadła.

Przy Michale zapomniała, ile rozkoszy daje próbowanie i pochłanianie, gryzienie, smakowanie i przełykanie, nawet okupione wzdęciami. Właśnie dochodziła do wniosku, że jedzenie do woli jest może nawet przyjemniejsze niż podziwianie, jak ładnie leży spódniczka, jakie spod niej wystają świetne nogi. Przyjemniejsze nawet niż patrzenie z triumfem na ekspedientkę przy słowach: „Rozmiar 36 proszę albo nawet 34, bo 36 może być za luźny".

Jeszcze się naje do syta. A potem zdąży schudnąć tak, by mogła mu się pokazać.

Michał nie przestawał się do niej dobijać, więc pomyślała, że być może uda im się razem zlepić te gruzy. Z jego strony wola chyba była.

Choć może chodziło mu o wosk do włosów, jedyną rzecz, której nie spakował, gdy odchodził. Baśka wolała jednak myśleć, że chodzi o nią.

Skoro miał wrócić, trzeba było cofnąć czas o kilkanaście kilogramów. Wzięła się za siebie, ale nie dawała rady, kapitulowała codziennie, najpóźniej pod wieczór.

Dopiero mama znalazła wczasy odchudzające reklamowane przez miejscowe kółko grubasów (ohydna była ta nazwa). Organizatorzy obiecywali, że – jeśli Baśka się przyłoży – w dwa tygodnie zabiorą jej osiem kilo. Dobra, byle szybciej, nim Michał się rozmyśli. Tego była pewna: umie się przykładać.

I na co były jej te wczasy?

Żeby się ostatecznie przekonać, za czym, za kim tęsknił jej mąż. Akurat na tyle jej się przydały.

Jeszcze jedna pastylka. Po której w końcu zasnęła na niewygodnym wczasowym tapczanie.

I niestety śniła.

Tej nocy o tym, że idzie po deskach molo w kierunku morza. Swobodna, bo już jej wszystko jedno. Do chwili, gdy za plecami usłyszała kroki, metaliczne stukanie szpilek. Upiór! Baśka przyspieszyła kroku. Koniec molo, barierka. Stanęła przy poręczy, wpiła się w nią pachwinami, bo już nie było gdzie dać kolejnego kroku, a stukanie szpilek się zbliżało.

Baśka nie czekała dłużej, wspięła się na barierkę, z trudem na niej balansowała. Upiór był o dwa, może trzy kroki za nią. Wreszcie zachwiała się i spadła w lodowate fale Bałtyku. Poszła na dno od razu, parskając, wypłynęła. Bała się otworzyć oczy i spojrzeć w górę, żeby nie zobaczyć JEJ. Bała się płynąć do molo i wyjść na deski.

Zwinęła się w kłębek i spokojnie opadła na dno. Po kilku sekundach woda zaczęła jej się wydawać ciepła i przyjazna.

Ciemność.

Śmierć we śnie była straszna tylko przez pierwsze chwile, ten moment decyzji – woda, przepaść, strach przy spadaniu, uderzenie, zimno i ból. A potem spływał na nią ciemny spokój, jak pod kołdrą. To bardzo kuszące, myślała Baśka.

Było jej dobrze, nie chciała się budzić. Po co?

Okropne, mieć już tyle lat, a wciąż nie umieć żyć.

Obudziła się mokra od potu, kurczowo łapiąc powietrze.

Janina

Nie zaciągnęli zasłon, więc zbudziło ją światło. Michał jeszcze spał, po raz drugi w życiu u jej boku, po raz pierwszy nie po seksie. Miło się budzić obok kogoś. Zamknęła oczy. Niech trwa.

Baśka

Tego ranka nikt nie sapał na sąsiednim łóżku, nie zwlekał się z niego z wysiłkiem, podpierając się dłońmi. Nikt nie kręcił się na sedesie. Nie stękał, wpychając się w dres. Nie parskał i gulgotał przy myciu zębów.

Kiedy Michał zobaczy poranne rytuały Janiny, zwieje z krzykiem.

Nie, lepiej nie myśleć o tej groteskowej parce.

Jak dobrze być samej. Pić wodę, nie narażając się na prośby o łyka, dowolnie długo brać prysznic, drapać się w głowę, poprawiać w pokoju majtki, przeciągać się z głośnym jękiem.

Płakać.

Janina

– Śpisz? – spytała Michała.
– Ja też nie – odpowiedział.

I zaczęli chichotać jak dzieci w kolonijnej sypialni.

– Strasznie jestem głodna. – Przeciągnęła się.

– Zamówimy do pokoju.

Ale do pokojów nie przynosili. Sam więc zszedł na dół po śniadanie, a ona przez ten czas się umyła i chociaż trochę doprowadziła do porządku.

Dopiero teraz czuła, jaki straszny ciężar nosiła przez ostatnie miesiące. Teraz jakby trochę zelżał, po tej nocnej spowiedzi. Wróciła do łóżka, ubrana, odświeżona, ale znowu wsunęła się pod kołdrę.

Michał zapukał do pokoju, po czym wszedł z tacą, którą ustawił jej na kolanach. Bułki były trochę gumiaste, kawa cienka, na szczęście jajecznica w porządku. Jak na wyrób barowy oczywiście.

Ale jak się nie ma, co się lubi… Czy to samo dotyczy Michała?

– Byłeś z nią szczęśliwy? – kontynuowała, przełknąwszy, jakby w ogóle nie przerywali rozmowy na spanie.

– Ona nie była.

– To nie jest odpowiedź.

– Jest, wierz mi.

Faceci już tak mają, nie potrafią mówić o uczuciach, wiedziała z czasopism, wiedziała ze swojego długoletniego małżeństwa, długoletniego życia.

Podsunęła Michałowi talerz. Nie nalegała. Ani żeby mówił, ani żeby jadł.

Zjadł. I opowiedział. Jej pierwszej.

Nie wierzył, że ktoś tak piękny jak Baśka może zwrócić na niego uwagę. Jej uroda była onieśmielająca. Na kursie tańca odezwał się do niej wyłącznie dlatego, że przy tym wszystkim fatalnie tańczyła, więc z ulgą stwierdził, że jednak nie jest doskonała.

Chodziła z nim na randki, zawsze małomówna, poważna. Wątpił, czy coś z tego będzie. Ale pewnego razu się roześmiała.

– Dopiero przy mnie nauczyła się śmiać – opowiadał z ogniem w oczach. – A robiła to przepięknie. Była moją drugą kobietą, ta pierwsza – kompletnie nieważna. Myślałem, że mnie wyśmieje, sflekuje, a ona się zgodziła zostać moją żoną. Nie mogłem się nadziwić, moi kumple też.

Janina patrzyła na niego zaskoczona, gdy mówił o Baśce jak o jakimś dziele sztuki zdobytym fartem na aukcji.

Lubił na Baśkę patrzeć, najbardziej wtedy, gdy wiedziała, że to robi. Rozkwitała. Ubierała, malowała się dla niego, co wieczór czekała w łóżku w atłasach, w koronkach.

Już nie pamiętał, kiedy zaczęła unikać jego dotyku. Chodziła ponura. Praca i gimnastyka. A w domu jeszcze pedałowała na rowerku stacjonarnym, strasznie skrzypiał, nie było słychać telewizji, ale znosił wszystko, robił to, co każą w tych głupich poradnikach, chwalił jej urodę, kupował jej biżuterię, bieliznę. Ale i tym przestała się cieszyć. Jeśli się zwierzała, to tylko Julicie. Michał już nie potrafił jej uszczęśliwić. Stała się kompletnie osobna.

– Nie wiedziałem, co robić. Komplementy – nie, prezenty – nie, wyjazdy – nie.

Wtedy spotkał Janinę.

Przytuliła jego, a on ją. I siedzieli tak nad talerzami po jajecznicy.

Może mogliby być razem.

W innym życiu. Gdyby to się inaczej zaczęło, inaczej trwało. Wtedy może tak.

A może nie.

Spojrzała na Michała. On też to wiedział.

Patrząc mu w oczy, wylizała widelec po jajecznicy

Na do widzenia.

Baśka

Schudła jednak na tych wczasach. Ciągle nie dosyć, ale całkiem sporo. Tylko kilka dni wysiłku, a proszę, jakie efekty. Gorzej, że piersi po utracie tłuszczu dotykały teraz skóry tułowia, pociły się i obcierały, w kieszonce starości. Gdyby utyła, zaraz by jej się biust podniósł. Tam lepiej, a tu gorzej. Ze smutkiem uświadomiła sobie, że gdy chudła jako młoda dziewczyna, nie miała podobnych kłopotów. Pewnych rzeczy się nie da cofnąć, trzeba je po prostu przyjąć, stwierdziła, starając się myśleć wyłącznie o piersiach, nie o Michale.

Nie, to nie kapitulacja, może lekka zmiana taktyki, przegrupowanie sił. Żadnej białej flagi, raczej czarny dres. Włożyła go i już się zbliżała do drzwi, gdy nagle zawróciła i z całej siły kopnęła w łóżko Janiny. A potem zabębniła pięściami w tapczan. Mało! Zerwała narzutę, cisnęła ją na podłogę, zwaliła kołdrę, rąbnęła w ścianę poduszką, w górę frunęła biała szmata, ukryta pod spodem. Zapachniało Janiną. Aż ją zemdliło.

Otworzyła okno, a skłębione bety wrzuciła do skrzyni tapczanu, żeby więcej nie woniały.

Praśne kosmetyki Janiny w łazience zgarnęła do kosza na śmieci, otwieranego pedałem. Opróżniła szafę z ciuchów, upchała je w torbie, depcząc po niej sportowymi butami, żeby się dała dopiąć, po czym wrzuciła ją na szafę.

Już nie było śladu po grubej współlokatorce, ostatnie jej molekuły ulatniały się przez okno.

Baśka chętnie pozbyłaby się również nazwiska Michała, które paliło ją każdą literą wypisaną w dowodzie, ale przecież przez jedenaście lat podpisywała nim swoje życie. Co za sytuacja bez wyjścia, będzie musiała wymawiać te nienawistne głoski do końca, w pracy, w pralni, przez telefon.

A jeśli, co gorsza, i Janina zacznie się nim posługiwać? I połączy je wspólna nazwa?

Nie, nie, nie, tłusta dziwko! Baśka wyszła z pokoju, przekręciła klucz i jeszcze kopnęła w drzwi. Ha, takiej mnie nie znałeś, łysiejący męczyduszo! – huknęła w duchu na Michała i w duchu napawała się jego przerażeniem, gdyby zobaczył, do jakich spustoszeń jest zdolna. Już nie będę grzeczna! Nie zamierzam słuchać ani ciebie, ani nikogo!

I zapuszczę sobie obwisły brzuch, jeśli mi się będzie podobało. Miliony kobiet noszą obwisłe brzuchy i zażerają się ciastkami.

Temperuj balerona, ze mną już ci się to nie uda.

Pierdol się, łysy konusie, mój mężu.

Janina

Wysiadła z samochodu. Jeszcze podała Michałowi dłoń przez okno. Trzymał ją przez dłuższą chwilę.

Wspomnienie o nocy było ciepłe jak kołdra. Do zobaczenia nigdy. Już za nim tęskniła.

Spojrzała w górę: ciemne okno.

Pusty pokój.

Na tych wczasach jeszcze tyle się nie nabiegała. Ale teraz się nie oszczędzała, przeciwnie.

Wreszcie, zasapana, znalazła Baśkę. Siedziała w ciemnawej knajpce, gdzieś w miasteczku, oskubując panierkę z ryby. Na czole miała jakieś strupy. Połowę flądry już zjadła. I całe frytki. Miseczka po sosie czosnkowym była prawie pusta. Powietrze siniało od tłuszczu, na bank używanego tutaj od pokoleń.

Baśka na jej widok załadowała sobie usta smażeniną.

– Wygrałaś, wiesz? – syknęła ledwo wyraźnie, bo przecież nawet nie zdążyła przełknąć. – A teraz chcę być sama.

– Baśka, nie kochałam się z nim – wyjaśniła szybko Janina, żeby tamta już dłużej nie cierpiała.

– Teraz nie – warknęła Baśka. – Teraz może i nie. Ale zapewniam cię, że nic mnie to nie obchodzi. Idź, naciesz się swoim triumfem. Chcę w spokoju skończyć śniadanie.

Nienawiść gęstniała w powietrzu, wypychając nawet tłuste wonie.

Janina spuściła głowę i ruszyła w kierunku plaży. Może jeszcze zdąży na końcówkę marszobiegu. Bo jeśli nie, to już zupełnie nie wiedziała, gdzie się podziać.

Sylwetki współczasowiczów majaczyły już gdzieś na horyzoncie, tyły zabezpieczał Andreas, jeden z dwóch odchudzających się Niemców.

– Widziałaś gdzieś Baśkę? – spytał. – Nie przyszła na śniadanie. I teraz też jej nie ma.

Poderwałam jej męża, więc chwilowo zrezygnowała z odchudzania, powinna odpowiedzieć Janina.

Coraz częściej jednak przekonywała się, że cała prawda rzadko popłaca.

– Baśka na marszobieg już raczej nie dotrze.

– Coś się stało?

Naprawdę był zaniepokojony. Zeswatać ich? Dobry kierunek, może trochę zelżałyby wyrzuty sumienia. I cierpienie Baśki. Ale nie, nie w ten sposób, nie połączy ich, wysyłając Andreasa do tłustej knajpy w kierunku panierka.

Janina znała już swoją współlokatorkę na tyle, że wiedziała: nikt nie powinien jej oglądać, gdy pożera smażeninę w akcie rozpaczliwej samozagłady.

– Troszkę gorzej się czuje.

– Przetrenowała się?

– Powiedziała, że chce być sama.

– Daj mi znać, gdyby można było pomóc – poprosił jeszcze i nie czekając na Janinę, ruszył do przodu krokiem długodystansowca.

Janina też poczłapała przed siebie, prawie dotykając butami jęzorów fal.

Po co się tu wlokła, zamiast zamknąć się w pokoju, korzystając z nieobecności Baśki, poukładać w głowie wczorajsze i dzisiejsze wydarzenia. Druga opcja: mogłaby po prostu wyjechać, teraz, zaraz, zniknąć, by już nie patrzeć Baśce w oczy.

Zapomnieć o tym wszystkim i znowu być sobą: życzliwą, lojalną Janiną, z ciepłym uśmiechem, z programem kulinarnym, która gdzie usiądzie, tam zyskuje sobie ludzką sympatię. To bardziej kuszący obraz samej siebie niż napalona porywaczka cudzych mężów i gnębicielka szczuplejszych kobiet.

Kiedy niechętnie wracała do ośrodka (będzie już Baśka w pokoju czy nie?), zobaczyła, że chodnik usiany jest barwnymi paskami. Jak serpentyny urozmaicały podjazd, przejście, zwisały z balkonów. Idiotyczna dekoracja. Wstrętne śmiecie. Janina podniosła jeden. Wyglądał jak pocięta koronka.

Janina przyspieszyła kroku, pokonawszy schody, wpadła do pokoju.

Baśka siedziała na podłodze, z nożyczkami w ręku, wyciągała ze swojej walizki bieliznę, sztuka po sztuce, i metodycznie cięła na wąskie paski. Wnętrze, jak łowicki pasiak, było usiane przyjemnymi dla oka kolorami.

Baśka nawet nie podniosła wzroku na Janinę. Nożyczki nieprzerwanie szczękały. Potem wstała i całą garść pasków cisnęła przez okno.

– Pakujesz się? Jedziecie razem? To bierz swoje rzeczy – warknęła. – Wrzuciłam ci na szafę.

– Nigdzie nie jadę. A Michał wrócił do Warszawy.

Baśka wyjęła z walizki następne koronkowe majtki. Ale nabrała na te dwa tygodnie!

– Jeszcze czegoś chcesz ode mnie? Poza mężem? – warknęła Baśka. A może to szczęknęły nożyczki.

Janina usiadła na tapczanie. Co z tym zrobić? Trzy cierpiące osoby. Byłyby cztery, gdyby jedna nie umarła.

Baśka wstała, zdjęła spodnie od dresu, a potem śnieżnobiałe koronkowe majtki, dzięki czemu Janina miała okazję podziwiać jej apetyczne biodra, nagusieńkie łono, bo trudno liczyć wąziutki paseczek włosów na samym środku. Nie miała pojęcia, że tak się teraz nosi.

Baśka pocięła i te majtki. Paski opadły bezradnie na podłogę. Podeszła z nożyczkami do Janiny. Gdyby na twarzy miała więcej uczucia, Janina bardziej by się przestraszyła. Ale i tak się cofnęła.

– To twoje, prawda? – Baśka podała jej nożyczki. Janina zbierała siły, by odpowiedzieć. Ale niepotrzebnie, bo Baśka wsunęła spodnie od dresu na gołe ciało i wyszła z pokoju.

Janina została sama na pustym tapczanie. Z nożyczkami w ręku.

Baśka

Niesamowite, jak spodnie potrafią się ocierać o nagie krocze. Szur, szur przy każdym kroku. Nawet miło. Czyste powietrze, prawie nie było ludzi, bo wiało; morze beznamiętnie lizało piasek. Mewy strasznie wrzeszczały, przemieszczając się po niebie wte i wewte. Brzegiem kiwał się z nogi na nogę łabędź. Byleby nie spotkać żadnego z wczasowych wielorybków, nie musieć uchylać się przed ich spojrzeniami.

Moczyła buty w co dłuższych jęzorach fal. Muszelki chrzęściły pod stopami. Potem odeszła dalej, a buty od razu oblepił piasek. Niedobrze jej było po smażonej rybie, a jeszcze bardziej niedobrze po wydarzeniach dnia wczorajszego, więc opadła ciężko na piach, strasznie zimny o tej porze roku. A potem się położyła, ręce wyciągnęła w dwie strony świata. Matka ziemia promieniowała chłodną wilgocią.

– Zaziębisz się – zasapała Janina, której potężna postać zasłoniła znienacka pół ołowianego nieba.

A ta tu czego? Może Baśka ma jej dać rozgrzeszenie? Puk, puk w konfesjonał. Puk, puk w piach.

Wrzask mew.

Małe trzęsienie ziemi, gdy Janina ciężko opadła na ziemię obok niej, przedtem podłożywszy sobie pod tyłek szalik. Ta zawsze wie, jak się urządzić.

– Nie kochałaś się z Michałem? Dlaczego? – odważyła się wreszcie Baśka.

– Nie chciałam – i po chwili wahania: – On też nie.

– To co robiliście przez całą noc?

– Gadaliśmy.

Janina

To przecież była prawda. Może nie cała, ale wolała nie mówić, że spali obok siebie, dając sobie wzajemnie tyle ciepła, ile potrafili. Baśka mogłaby tego nie zrozumieć.

Baśka

Aż ją zakłuło. Z nią Michał nigdy nie przegadał całej nocy. Bywało, że kochali się do rana. Tak. Zwłaszcza na początku. Ale tyle czasu rozmawiać? Nigdy.

– On po prostu szuka kogoś, kto by go przeprowadził przez życie – zdiagnozowała Janina. – I ubzdurał sobie, że mogę być ja.

To bolało.

Janina poprawiła szalik pod wielkimi pośladkami.

– Ubzdurał sobie. Czyli on cię namawiał, a ty odmówiłaś? – Baśka szła za ciosem.

– Nie. Sam wiedział, że nic z tego nie wyjdzie.

Baśka odwróciła ku niej głowę, przypatrywała jej się badawczo, omiatała spojrzeniem każdy centymetr jej twarzy, rozszerzone pory, popękane naczynka krwionośne, włosek na brodzie. Co widział w niej Michał?

– To po co cię zabierał na noc do motelu?

Janina wzruszyła wielkimi ramionami: ruch bochnów w górę i w dół, zawirowanie powietrza.

– Pierwszy raz mieliśmy okazję pogadać. Bo tamtych parę godzin… Ta… ta zdrada… Wiele pozmieniała w jego życiu. W moim. W twoim.

Aż parę godzin? – zdziwiła się Baśka. Ciekawe, co robili przez ten czas. Całował Janinę? W co? W balony? W usta? Mówił komplementy? Ile razy to zrobili? Od której strony?

Gdyby się tego wszystkiego dowiedziała, jeszcze precyzyjniej umiałaby wyobrazić sobie podłość Michała. I jeszcze dokładniej potrafiłaby go znienawidzić, a potem wyciąć z siebie, wymazać, jak on tamtą zdradą wymazał ich wspólne lata. I doprawił wczorajszą nocą, którą spędził z Janiną, zostawiając Baśkę z zakrwawionym czołem, gapiącą się na nich sprzed parkingu. I nawet nie wrócił, żeby cokolwiek wyjaśnić. Przysłał w tym celu grubaskę, tchórz jeden.

– Przysłał cię, żebyś mi to powiedziała?

– Sama wróciłam. On pewnie też będzie chciał z tobą porozmawiać, ale myślę, że za jakiś czas. Strasznie jest zagubiony, pomieszany.

– Widzę, że już wszystko wiesz o moim mężu.

– Coś tam zrozumiałam. – Janina nie podejmowała walki, parowała tylko ciosy miękką poduchą.

– Tak? A co? – Baśka chciała, żeby to zabrzmiało ironicznie, ale zabrzmiało rozpaczliwie.

– Dlaczego z nim wtedy poszłam.

A kogo to obchodzi?

Janina umilkła. Ale zaraz podjęła:

– Chciałam tylko, żeby ktoś się mną zaopiekował.

– I co? Udało się?

– Nie. Bo to on chciał, żeby to nim się zaopiekować.

Ale przecież Baśka miała wrażenie, że to Michał zawsze wiedział, czego chce. Wtedy była za głupia na przyjęcie prawdy, że powinna żyć po swojemu. A teraz, gdy zmądrzała, wszystko się rozlazło w szwach. Chyba nie było zbyt dobrze zszyte, skoro to on wkłuwał igłę, a ona tylko patrzyła. Malując oczy.

Poczuła, że znienacka zaczynają płynąć łzy. Tylko jęknęła ze wstydu, że rozkleja się przy Janinie.

A tamta powiedziała tylko:

– To wszystko jest bardzo trudne.

I też się rozpłakała.

Mijający je pan z jamnikiem spojrzał ciekawie na dwie grube baby w dresach, ale gdy zobaczył ich zaryczane twarze, odwrócił głowę, przyspieszył kroku, udało mu się nawet, z tego strachu, wyprzedzić swojego psa i zniknąć wraz z nim na dróżce przecinającej wydmę.

Dobrze, że nie poprosił o autograf. Może nie był miłośnikiem telewizyjnych programów kulinarnych.

Baśka zerknęła na Janinę, której twarz zdobił czerwony rzucik pokryty wilgocią. Mokre miała i włosy, i kołnierz. Ta, jeśli już płacze, to obficie.

Wytrąbiły nosy w chusteczki, które Janina znalazła w kieszeni kurtki. Wstrząsający, zaiste, duet.

– Mam drugi szalik, może sobie podłożysz? – odezwała się Janina. – Strasznie wilgotno.

– Nagle zaczęłaś się o mnie troszczyć? – szczeknęła Baśka. Wstała. Faktycznie, spodnie przemokły do suchej nitki.

Tamta podała jej szalik. Baśka wsunęła go sobie pod wilgotne dresy, na nagie biodra. Ich zapachy wymieszają się w dość perwersyjny sposób.

Podniosła się z piasku. Tyłek miała mokry.

Z tyłu dochodziło potężne sapanie, głośniejsze niż szum morza. To Janina usiłowała wygramolić się do góry, niezgrabnie jak żuk przewrócony na grzbiet.

Bardzo pękaty żuk.

I zamiast się speszyć, po prostu się do Baśki uśmiechnęła.

Baśka podała jej więc pomocną dłoń. Niech gruba już się nie męczy.

W kącie knajpki siedział drobny staruszek w okularach, cmokał nad krzyżówką i herbatą z cytryną, popatrując na nie znad okularów grubości denek od butelek.

To wcale nie ocieplało atmosfery.

Baśka spojrzała w lustro, które miało urozmaicać wystrój i prawie by mu się udało, gdyby nie nosiło na sobie śladów paluchów pokoleń klientów. Niestety wyglądały z Janiną jak siostry, w zapoconych dresach, z głodnymi oczami, z czerwonymi z zimna nosami. Nawet opaski miały podobne.

– Wrócisz do niego? – spytała Janina. – Do Michała?

Bo co? Bo jeśli ja nie wrócę, ty go przejmiesz z czystym sumieniem?

– Nie wrócę. Już za późno.

– Tak myślisz? On jest pełen najżywszych uczuć. Do ciebie.

– Pozytywnych?

– No, nie całkiem – stwierdziła uczciwie Janina. – Ale mocnych. Gorsza byłaby obojętność. Z tego, myślę, dałoby się coś odbudować.

– Nie wiem, czy chcę – zadumała się Baśka.

Kelnerka przyniosła ciastko z kremem i dwie kawy. Łyknęły.

– Chyba zostało im trochę mydlin po czyszczeniu ekspresu – pozwoliła sobie Baśka.

Janina zachichotała, po czym zaatakowała ciastko widelczykiem.

– Niejadalne – jęknęła.

Baśka rozumiała jej ból. Pewnie mało radości z takiego grzechu, który ma postać twardej podeszwy przełożonej kremem z proszku i margaryny.

Staruszek szeleścił gazetą, pochrząkiwał, jakby chciał zwrócić na siebie uwagę.

– Gdy rozmawiałam wczoraj z Michałem na plaży, zdałam sobie sprawę, że przez te lata kompletnie się rozmijaliśmy. Myślałam, że rozumiemy się w pół słowa, a nie rozumieliśmy się wcale.

– Może warto zawalczyć. To dobry człowiek. – Janina się uśmiechnęła.

– To obcy człowiek. No i za dużo między nami zaszło.

Janina poprawiła włosy. Trochę bez sensu było układanie tych nędznych kosmyków, wciśniętych w opaskę. Z sensem czy nie, starszy pan wrócił do niej spojrzeniem.

– Cholera, ten to chyba ogląda programy kulinarne – spłoszyła się Janina.

– Jakby się znał na kuchni, toby tu nie siedział. – Baśka parsknęła w swój produkt kawopodobny.

– Straciłam wolę walki – ciągnęła. – Zresztą jak miałabym o niego walczyć? Zgrabną sylwetką? Zajściem w kolejną ciążę? Dziecko jako sposób na zatrzymanie faceta? Dziecko nie jest sposobem.

– Ale mądrze mówisz – ucieszyła się dobrodusznie Janina.

Staruszka z kąta szczęśliwie wywiało; w barze pozostały tylko porzucona krzyżówka, one dwie oraz krzątający się nerwowo za ich plecami kelner.

– Czemu się pan tak kręci?

– Czekam, aż panie skończą, bo zaraz zamykamy. Rezerwacja na przyjęcie rodzinne.

– Nie zjem tego ciastka. Nawet gdyby mi pan zapłacił – skomentowała Janina. – Fatalne macie tu jedzenie. Współczuję gościom.

Kelner wzruszył ramionami. Co miał mówić? Sam wiedział.

Kiedy wracały, dozorca, sarkając na babskie wygłupy, zmiatał pocięte koronki na wysoki stosik, rozwiewany podmuchami wiatru.

Baśka aż się zawstydziła, że jest zdolna do takiej niszczącej pasji. Tym samym została bez majtek. A stanik tylko jeden, ten, co na sobie.

– Nigdy więcej się nie spotkaliście z Michałem? – spytała nagle. – Tamten raz i już?

– Nigdy.

– Czyli nie kłamał.

– Musisz go sprawdzać?

– To takie dziwne po zdradzie?

– Skłamał ci kiedyś?

– Nie wiem. Rzadko rozmawialiśmy.

Przy jednej z sosen na terenie ośrodka posapywał Andreas, który oparłszy stopę o pień, właśnie rozciągał mięsień dwugłowy uda. Na ich widok od razu zestawił stopę i przybiegł, jakby na nie właśnie czekał. Janina zaraz zwiała, bąknąwszy jakieś niewyraźne usprawiedliwienie, więc Baśka sama musiała stawić czoło spojrzeniu spod krzaczastych brwi. Które na szczęście zacumowało na jej twarzy, a nie na spodniach wypchanych szalikiem Janiny.

– Co się stało?

Co sze stało. Niemiecki akcent Andreasa powodował, że nie dało się go traktować poważnie.

– A co się miało stać?

– Opuściłaś śniadanie, wszystkie zajęcia, myślałem, że coś się stało. Szukałem cię.

Szniadanie. Zajęcza. Cosz. Niby po co jej szukał?

– Ile czasu spędziłeś w Niemczech, że zdążyłeś zapomnieć, jak się mówi po polsku?

Przypatrywał się badawczo jej twarzy, jakby szukał tego, co wypisano tam najdrobniejszym druczkiem. W końcu chyba wyczytał, bo lekko się uśmiechnął.

– Dwadzieścia cztery lata. Wyjechałem w osiemdziesiątym ósmym. Mówisz, że zapomniałem polskiego?

Peszyło ją, że się tak na nią gapi. Nie pozwoli na to. Odpowiedziała mu zdecydowanym spojrzeniem.

Zamiast spuścić głowę, dalej patrzył.

Przecież nie o to jej chodziło.

– To mi wygląda na pozę. Patrzcie, jaki ze mnie światowiec.

– Może i światowiec. – Uśmiechnął się i wreszcie, ku jej uldze, spojrzał w bok. – Ja prawie nie rozmawiam z Polakami na żywo. Tylko w internecie. A co konkretnie źle mówię?

– Stwardniasz miękkie spółgłoski.

– W takim razie muszę się tego oduczyć. Zwracaj mi uwagę, kiedy tak robię, dobrze?

I po co go atakowała?

– Muszę już iść. Mam aerobik – bąknęła i uciekła od towarzyskiego Niemca, by schronić się w sali z lustrami.

Śmierdziało tam potem i dezodorantami oraz rozgrzaną gumą butów sportowych. Wietrzenie? W listopadzie?! – zaprotestowałyby zapewne wielorybki.

Weszła chuda instruktorka i włączyła muzykę. Abba wiecznie żywa.

Baśka schroniła się pod tylną ścianą, próbując nie rzucać się w oczy. Nareszcie mogła wyjąć szalik Janiny z dresów i rzucić go na parapet. Spodnie miała nadal mokre, ale nie tylko dlatego trudno jej było się skupić na rytmicznych ruchach.

Andreas martwił się o nią.

Między Baśką a lustrem na całą ścianę przytupywało kilka rzędów odchudzających się dziewczyn. Podskakiwały w rytmie, w nadziei, że umkną przed tym, co nieuniknione. Ona natomiast nie żywiła już takich złudzeń. Ćwiczyła bez zaangażowania, choć nie można było powiedzieć, by się całkiem nie ruszała.

Dziewczyny jeszcze machały jakieś pokłony przed lustrem, ale Baśka chwyciła szalik z parapetu i wyszła z sali. Miała dość powietrza przesiąkniętego potem, poszatkowanego klimatyzacją. Otarła czoło skrajem koszulki. Nagle się zawstydziła, bo w korytarzu ktoś stał i pewnie zobaczył ten mało elegancki gest. Oraz jej brzuch.

Na szczęście to była tylko Janina.

– Nie ma Andreasa? – Mrugnęła porozumiewawczo.

Na okrągłej, wesołej twarzy współlokatorki w ogóle nie widać było zmarszczek, poza mimicznymi, od śmiechu. Baśka patrzyła w jej filuterne szare, malutkie oczy z białawymi rzęsami.

I prawie by odmrugnęła, gdyby nie to, że zza drzwi wysypały się pozostałe dziewczyny.

Jej współlokatorka jak zwykle paradowała po pokoju w beżowej halce.

– Po co ją wzięłaś? Przecież pod dres nie wchodzi.

– Mój mąż też jej nie znosił – ciągnęła Janina. – Mówił, że jestem wtedy rozmemłana.

– Bo jesteś.

Janina zniknęła w otchłani łazienki, skąd zaraz wyjrzała ponownie, osłaniając się niedbale ręcznikiem.

Czy to prawda, czy też Baśkę wzrok myli? Janina ma włosy pod pachami?

Baśka ostatni raz widziała kobietę zarośniętą pod pachami na polskiej plaży w roku 1987.

– A gdzie są moje kosmetyki? – zaniepokoiła się gruba.

244

Baśce zrobiło się głupio.

– Wyniosłam do śmietnika.

Janinie twarz stężała.

– Rano, zanim wróciłaś. – I zaraz, na zgodę, Baśka zaczęła wyciągać swój kosztowny żel do kąpieli z opiłkami złota. Balsam z żeń-szeniem i perłą o zapachu gorzkiej czekolady. Szampon cementujący podniesione łuski we włosach, o energetyzującym zapachu sycylijskiej pomarańczy.

Janina, wciąż nierozczmuchana, zamknęła się w łazience, skąd po chwili zaszemrał prysznic, a kłapiące w brodziku jej mocarne stopy wydawały gumiaste pierdnięcia.

Zakręciła na chwilę wodę, a do Baśki dotarło jej pytanie:

– Po co ci kawałki złota w mydle?

Baśka zastanawiała się nad zgrabną odpowiedzią, ale zanim na coś wpadła, Janina znowu zaczęła się pluskać, więc zrezygnowała. Słowa i tak rozpuściłyby się w szumie prysznica.

– Spuściłam do szamba ładnych parę gramów złota – zachwycała się Janina owinięta ręcznikiem. To i owo jej spod niego wystawało, bo aż tak wielkich ręczników pewnie się nie produkuje.

Po chwili twarz znowu jej stężała.

– A gdzie moja pościel?

– Wrzuciłam do tapczanu.

Janina – czyżby wpadła w panikę – podniosła pokrywę i podpierając ją niezdarnie biodrem, zaczęła gorączkowo szukać czegoś w środku. Gdy wygrzebała białą szmatę, twarz jej się uspokoiła.

– To coś ważnego?

Janina wstydliwie wzruszyła ramionami i narzuciła na siebie biały namiot w pensjonarskie kwiatki.

– Taka stara szmatka. Ale dobrze się w niej czuję.

I pogładziła rękaw swojej koszuli nocnej.

Baśka zasypiała wreszcie spokojna. Liczyła, że dotrwa w tym stanie do rana.

Przyśniła jej się jednak Wenecja.

Zaczęła wędrówkę pod Mostem Westchnień. Chodziła i zaglądała do zacumowanych przy brzegu gondoli, ale Upiora nie znalazła. Weszła więc w boczną uliczkę, którą nieraz już rozpaczliwie uciekała. Pusto. I nagle usłyszała przed sobą równomierne rytmiczne stukanie. Serce zatrzepotało. Panika.

Czy to TEN stukot? Metaliczny i miarowy, jak zawsze. Tylko dlaczego z przodu? Opanowała odruch, żeby odwrócić się i umknąć. Nie, w ten sposób nie będzie dalej żyć, nie będzie dalej śnić. Przyspieszyła kroku. Dogna babę, złapie ją za kołnierz, wykrzyczy, co chciała, i nie wypuści, póki tamta nie powie, o co jej chodzi.

Szary cień mignął gdzieś przed nią, zniknął za załomem uliczki.

Baśka rzuciła się biegiem, dopadła rogu ulicy. Szybkie spojrzenie, nie ma nikogo. Śpiący kot na murze. Zdechła ryba przy krawężniku. Upiór zniknął.

Znowu stukanie. Tik-tak, tik-tak, tik-tak. Musiała się uspokoić, żeby zlokalizować, z którego kierunku dobiega. Powoli się okręcała wokół własnej osi. Jest!

Wpadła na jakiś placyk, podtrzymując lewą ręką luźne spodnie od piżamy. Słońce ją oślepiło, więc stanęła, przesłaniając oczy wolną dłonią.

Tak, szara postać opierała się o barierkę kanału. Spluwała w wenecką wodę i stukała miarowo szponiastymi, wypielęgnowanymi paznokciami o metalową poręcz. Tik-tak, tik-tak, tik-tak.

Baśka dopadła ją, grzmotnęła pięścią w ramię. Prawie nic nie widziała, bo oślepione słońcem oczy łzawiły. Cholerne tykanie wwiercało się w mózg.

Otarła oczy rękawem piżamy.

Lekko wypukłe oczy, rudawe loczki. Zwykła kobieta w średnim wieku.

Ale co to? Znienacka zza pleców Baśki wyszła Janina, owionęła jej twarz ciepłym oddechem, ale nie zatrzymując się przy niej, podeszła do kobiety w szarym. Chwyciła ją za dłoń i stłumiła stukanie. Co za ulga.

– Dzięki – powiedziała Baśka i otworzyła oczy.

Na plecach czuła ciepło dłoni Janiny.

– Dzięki – powtórzyła, już bardziej przytomnie.
– Wyjątkowo zły sen. Znowu krzyczałam?

Janina nadal pachniała stęchlizną. Ale nie wiedzieć czemu Baśce wydało się to miłe. Nie, bez przesady. Ale, o dziwo, nawet swojskie.

I nieoczekiwanie przylgnęła do miękkiego brzucha Janiny przez tę powycieraną szmatę, jej koszulę.

Janina

Przez piżamę na plecach Baśki uwydatniały się kręgi kręgosłupa, co Janinie przypominało grzbiet kurczaka przeznaczonego do pieczenia, takiego ekologicznego, bo fermowe są za tłuste. Sama się zdziwiła, że tak bardzo ją to rozczula.

Ciało współlokatorki drżało, Janina czuła to nawet brzuchem. Co ona tam nagromadziła, w tym zadbanym opakowaniu?

– Musimy idiotycznie wyglądać – powiedziała Baśka w koszulę Janiny. – Ponton wtulony w ponton.

– Zawsze się zastanawiasz, jak wyglądasz, prawda?

Czy tamta naprawdę płacze?

– Jasiu, przepraszam – wymruczała Baśka w jej brzuch.

– I ty wybacz. Ja naprawdę nie wiedziałam, że on jest żonaty.

– Nie chcę go już więcej widzieć – płakała Baśka, jakby już na zawsze zrzuciła skórę jeżozwierza.

Cud się dokonał. Szkoda tylko, że tak musiało boleć.

Baśka

Janina zasnęła, jej brzuch unosił się rytmicznie do góry przy werblach chrapnięć. Rytm nie za szybki, Baśka czuła się przy nim bezpieczniej niż w ciszy, bo każdy chrapliwy oddech sygnalizował obecność.

Lepsza jakakolwiek niż żadna. Ale z tą w sumie nie najgorzej trafiła.

I już nic jej się nie śniło.

Życie wygląda zupełnie inaczej, gdy na marszobieg można zejść ramię w ramię z koleżanką, gdy można zagadywać i uśmiechać się, patrząc w głupio zdumione twarze reszty współwczasowiczek. Bo przecież do innego zachowania przyzwyczaiła je przez ten tydzień, przez dziewięć marszobiegów, dwadzieścia siedem posiłków i dziesiątki innych zajęć w chmurnej izolacji, więc wyjście z roli introwertycznej suki Baśki i wejście w rolę Basi łaskawej musi trochę potrwać.

Miała tylko nadzieję, że nikt jej nie widział przedwczoraj, gdy waliła głową w szybę, gdy leżała przy parkingu, gdy było jej wszystko jedno, kto patrzy, totalne wyjście z roli Baśki. Dziś jednak witała z powrotem ciasne ramy bycia Baśką, choć Baśką sympatyczną i rozluźnioną, po nocnej akceptacji Janiny, po nieoczekiwanie krzepiącej z nią przyjaźni, jeśli można nazywać przyjaźnią związek zaledwie jednodniowy.

Choć akurat w przypadku miłości takie tempo pasuje.

Hak im w smak, lekko jej na duszy i miło, a spodnie też jakby luźniejsze, jak to ciało i duch lubią sobie chodzić pod rękę, zupełnie jak piszą w pismach dla kobiet, tych ambitniejszych, czyli droższych. Znowu kroczyła właściwą ścieżką, coraz szczuplejsza, coraz pogodniejsza, w coraz lepszych stosunkach ze światem, i tylko Michała musiała wymazać sobie z głowy, dokładnie i skutecznie, by zaznać pełnej harmonii ze światem.

Andreas wyraźnie omijał ją wzrokiem. Miał żal o wczorajsze? Zagada do niego podczas marszobiegu. Nie wiedziała jeszcze, że do ośrodka wczasów odchudzających zbliża się inne wyzwanie. Dużo większe, pełne rad i miłości, można powiedzieć: nimi tryskające.

– Widziałaś? Listopad, a tamci kąpią się w morzu.
– Baśka machnęła ręką w kierunku grupy morsów, którzy składali się głównie z panów z siwym futrem

na piersi, choć były wśród nich także i panie, bez futra co prawda, ale również o figurze morsów.

– Codziennie się kąpią. – Janina wzruszyła swoimi bochnami. – Do tej pory za bardzo gnałaś, żeby ich zauważyć.

I nagle zawróciła do nich trenerka.

– No, drogie panie, tempo, tempo. Pani Basiu, co z panią się dzieje? Nie poznaję pani.

– Ja tu dzisiaj sobie z Jasią powolutku, niech się pani nie przejmuje.

Andreasa dogonię później, pomyślała. Jeśli w ogóle jest sens za nim gonić.

– Przecież nie musi pani czekać na koleżankę.

– Ale chcę – odparła Baśka. – Przynajmniej raz coś mam z tego spaceru.

Trenerka pobiegła do przodu.

I przez to wszystko nie zauważyła, że ktoś bardzo dla niej ważny stoi na molo w Gdyni-Orłowie, ktoś w długim płaszczu, stukając w barierkę tik-tak, tik--tak, i patrzy na nią.

A gdy zauważyła, twarz jej stężała. Żołądek zaraz potem.

Janina

Niby wszystko dobrze, miła pogawędka, trochę śmiechu, a Baśka nagle milknie, odchodzi gdzieś w bok.

– Co się stało?! – krzyknęła Janina, naprawdę zirytowana, ale przecież kto by się nie zirytował.

Dowiedziała się tylko, że współlokatorka na jakiś czas rezygnuje z marszobiegu.

I wtedy przytruchtał Andreas. Dopadł Baśki, ale minęła go jak zahipnotyzowana, nadal szła w kierunku molo.

– Czy... – zaczął nieśmiały rycerz z Niemiec. – Czy ty...

Baśka tylko pokręciła głową i przyspieszyła kroku.

Janina miała ochotę przytulić Andreasa na pociechę, ale się powstrzymała. Może niewiele wiedziała o mężczyznach, ale to jedno akurat tak. W podobnej sytuacji lepiej udawać, że się niczego nie zauważyło.

Baśka

Na molo stała mama w swoim szarym płaszczu, z rudymi loczkami. Strzelista i mimo swojej siedemdziesiątki całkiem dekoracyjna, jak nie przymierzając Dorian Gray. Uśmiechała się do córki ciepło i życzliwie.

Baśka wciągnęła brzuch. Widać jednak za mało wciągała, bo pierwsze słowa po „dzień dobry, córko” i „w recepcji powiedzieli mi, żeby właśnie tutaj cię szukać", brzmiały:

– Chyba nie powinnaś nosić takiego dresu.

Dres faktycznie pamiętał czasy, gdy ważyła parę kilogramów mniej.

Stała przed mamą bezbronna, gorzej niż naga, bo gruba, co widać było spod zbyt ciasnej dzianiny. A przecież dwa tysiące wydane na wczasy odchudzające miały sprawić, że zniknie osiem kilogramów jej ciała. Na razie jednak zniknęły tylko trzy. Widać nie przykładała się wystarczająco.

– Podjedziemy do miasta – ciągnęła mama. – Kupię ci trochę większy, żeby wałeczków nie było widać.

– Mamo, to jest właśnie miejsce, gdzie przyjeżdżają ludzie z wałeczkami.

Baśkę zaczynała boleć głowa.

– Cieszę się, że nad sobą pracujesz, dumna jestem, że już zrzuciłaś tu i ówdzie. Naprawdę jestem z ciebie dumna.

Tak, mama w dwóch zdaniach zawarła jej historię dojrzewania i wyzwolenia, która się tu dokonała. Co tam cokolwiek, ważna figura.

– W sumie noś sobie, co chcesz, przepraszam, że się wtrącam. Ale mam nadzieję, że szybko schudniesz, bo bluzkę ci kupiłam – i mama wyciągnęła coś odpowiedniego bardziej dla niej niż dla Baśki, falbanki plus kwiecisty wzorek. Na zachętę.

W tej sytuacji pytanie „Po co przyjechałaś, mamo" jeszcze bardziej zaogni pękaty wrzodzik na łączącej je pępowinie.

Zawróciły do miasteczka, tam może obłaskawi mamę herbatą. Z ciastkiem.

Choć teraz będzie to niełatwe, bo mama już wiedziała swoje: Baśka nie do końca wykorzystuje czas w ośrodku wczasów odchudzających. Plotkuje i wlecze się z koleżanką na końcu grupy, a nawet – o zgrozo – przystaje, żeby oglądać ludzi pławiących się w lodowatej wodzie, nie bacząc na to, że z powodu przystawania tętno jej spada, więc cały trening pójdzie na marne.

– Zmęczona jesteś, tak? Oczy masz podkrążone… – Mama szukała dla niej usprawiedliwień.

Baśka nie wiedziała, co odpowiedzieć. Choć jeszcze dziś rano zaczynała podejrzewać, że ładna figura nie jest wyznacznikiem ani kobiecości, ani wartości człowieka, ani też warunkiem szczęścia w życiu, to teraz, przy mamie, już nie była tego pewna. Żeby tylko w głowie tak nie łupało.

– A wiesz, jak pięknie schudła moja sąsiadka? – zagaiła znowu mama, nic a nic niezasapana, choć szły po plaży całkiem szybko (kondycji, Basiu, nie dostaje się w prezencie, trzeba na nią zapracować). – Ona cały czas ćwiczy z taką blondynką z internetu, stosuje się też do jej zasad. Wybrała specjalny zestaw ćwiczeń, który nazywa się Zabójca. Zabójca tłuszczu. Sama jest pięknie szczupła, ta pani od ćwiczeń. A sąsiadka robi zakupy z wykazem kalorycznym w ręku. I wiesz, ona mówi, że z tymi kaloriami to tak nie do końca prawda. Bo ważny jest jeszcze indeks glikemiczny.

Oho, kolejne cyfrowe narzędzie, którym można się biczować co wieczór. Dziś trzy razy zgrzeszyłam przeciw indeksowi glikemicznemu. Wyrażam żal, obiecuję poprawę i pokornie proszę o rozgrzeszenie.

Temat Michała, ciąży pozamacicznej, rozwodu i nowych priorytetów czaił się gdzieś w podtekście, jakby Baśka, reperując swoje ciało, mogła zreperować także życie, co było oczywiście złudne i nieprawdziwe. Niby banał, ale nie miała pewności, czy mama zdaje sobie z tego sprawę.

– Zaczęłam też myśleć – ciągnęła mama – czy nie byłoby dobrze, gdybyś odświeżyła fryzurę. Jest tu jakiś fryzjer? W takim spa zawsze przecież powinien być. Może byś i tej swojej koleżance, z którą szłaś po plaży, doradziła zmianę fryzury, bo...

Bo co? Bo figurze Janiny już nic nie pomoże?

Mama nie kontynuowała.

Zaszła w niej pewna zmiana: ostrożniej ważyła słowa. Nie jak w dzieciństwie. Baśka ciągle pamiętała perory wygłaszane zduszonym szeptem na ulicy:

– Jak można się było tak ubrać? Przy tych udach słoniowych, wielkim tyłku, łydach, w których ja cała bym się zmieściła, ta baba wkłada SZORTY?! I ta bluzeczka na ramiączkach, gdy jej się sadło wylewa górą, bokiem i dołem? Czy ona lustra nie ma w domu?

Równanie mamy było proste: zapuszczasz ciało, a zatem odłogiem leży również i dusza. Grubaski można więc wspierać, grubaskom można pomagać, ale grubaski na pewno nie są godne szacunku.

Baśka chciała takie życie zostawić za sobą. Przydałby się jakiś nowy początek.

Ale chwilowo znowu ugrzęzła w zaszłościach.

Wiedziała, jak powinno wyglądać życie według maminych zasad. Walka o powrót szczupłej figury, walka o zachowanie szczupłej figury. Każdy kęs graniczy z poczuciem winy, z każdym łykiem słodkiego przełykamy grzech. Jedno ciastko dziennie, jeden grzech dziennie – na tyle może pozwolić sobie mama, ale przecież nie Baśka, wystarczy na nie spojrzeć. Walka ze sobą, trzy razy na dobę, a może pięć – zależy, ile posiłków dziennie jadamy. Poczucie winy narastające jak rtęć w termometrze, uruchamiane z każdym ruchem zębów, z każdym smakiem. Najbardziej grzeszny – smak słodki, ale na inne także nie ma dyspensy. Gotowanie przepojone nieustanną troską: wymierzać oliwę i masło, wyrzucić smalec i cukier, pożegnać się z białą mąką i wszystkimi serami poza chudym twarogiem. Nawet na niektórych warzywach ciąży odium. Kukurydza non grata. Podobnie ziemniaki. Marchew. Głód albo poczucie winy, a najlepiej głód i poczucie winy – zestaw doskonały, gwarantujący szczupłą talię i smukłe uda. Ale to oczywiście za mało, należy dodać jeszcze wysiłek. Siłownia.

Poranny jogging. Wieczorne brzuszki. Codzienne pompki. Częste przysiady. Nieustanne ciężarki. Mata do ćwiczeń prawie nigdy nieskładana.

A jeśli dojdzie do klęski w kolejnej potyczce z tłuszczem, należy pole bitwy okryć czymś luźnym, maskującym i wziąć się do roboty.

Wiedziała, że powinna mamie ostro odpowiedzieć, powinna się od niej odciąć, powinna o siebie zawalczyć, ale jak tu robić krzywdę, przykrość, dzielnej kochanej mamie, która tak Baśkę kocha i o jej szczęście walczy.

I którą wszyscy bardzo cenią.

Bo mama zawsze była niezwykła.

Silna mama, która po śmierci ojca postawiła cukiernię na nogi, która potrafiła wyprowadzić biznes na prostą, wychować dziecko, z niewielką pomocą swojej matki, i nadal przy tym pięknie wyglądać, lecz nie reagować na liczne męskie awanse, bo przecież OBOWIĄZEK ważniejszy.

Mamie udawało się z cukiernio-piekarni wykarmić pół bliskiej Woli, po kryjomu rozdawała biednym bułki i drożdżówki, dawała całą torbę Baśce, żeby częstowała dzieci w szkole, ale ona najczęściej zjadała wszystko sama, wracając po lekcjach, głusząc jedzeniem smutki i niepokoje, wcale się nie spiesząc do domu, gdzie z obiadem czekała babcia.

W kuchni na stole zawsze stały ciastka, te niesprzedane dnia poprzedniego, tłoczyły się na talerzyku, kusiły, wołały: „Zjedz mnie!" i „Zajmij się mną, zanim całkiem wyschnę!". Baśka rzadko im odmawiała, a babcia nie miała nic przeciwko temu.

Nic się nie marnowało. Mama ciastkami karmiła dziecko, okruchami – ptaki, a chlebem ubogich. Była Matką Teresą z bliskiej Woli, Jezuską Chłodnej, Grzybowskiej, Żelaznej. Opoką. Niezniszczalną, królującą przy piecu, panującą za ladą, zawsze w pracy lub u ludzi, wszystkim pomocną.

A Baśka była żarłokiem z bliskiej Woli. Zupełnie bez woli.

– Znowu spódnicę ci trzeba poszerzać – narzekała mama. – Znowu musimy ci kupić nowe majtki. Naprawdę znowu kurtka ci się nie dopina?

Znowu, ulubione słówko, które błyskawicznie katalizowało wyrzuty sumienia. Babcia tylko chrząkała z boku, interweniowała bez pasji:

– Ależ, Joasiu, ciesz się, że dziecko dobrze wygląda.

Dwa kłamstwa w jednym zdaniu. Baśka nie była już dzieckiem. I nie wyglądała dobrze. Każde karcące spojrzenie mamy uświadamiało jej to aż nadto dobitnie.

Mama, poza brzuchem, który zawdzięczała po części ciastkom, a po części jej, Baśce (bo zwiotczał podobno przede wszystkim w ciąży, ciastka dopełniły tylko dzieła zniszczenia), była szczupła. Zgrabna. Miała piękne nogi, pośladki, które świetnie wyglądały w ołówkowych spódnicach, i jeśli nie stanęła bokiem, nie widać było poduszki brzuszka. A starała się nie stawać bokiem.

Bo mama była dobra. Najlepsza. Najważniejsza. Jeśli chwilowo przebywała w domu, to nie odrywała się od telefonu, wspierając swoje kolejne połamane ptaki, samotne starsze panie, pogubione kobiety w średnim wieku, lumpów ze schizofrenią, mało przedsiębiorcze Ukrainki bezskutecznie szukające pracy, schorowane koleżanki z pracy, obecnie na emeryturze. Kiedy wychodziła z domu, zawsze doczepiała się do niej jakaś sąsiadka, by opowiedzieć o mięśniaku macicy, przyłaził chory kot z piwnicy połamany krzywicą, zlatywały się wygłodniałe wrony. Mama szła, potakiwała, wysłuchiwała, kiwała głową, dawała dziesięć złotych, sypała okruszki, rzucała skórki od kiełbasy. Baśka dreptała obok i czuła się zbędnym dodatkiem. To nie na nią czekały wrony, to nie ją błogosławili sąsiedzi. Choć najczęściej mamy w domu po prostu nie było, bowiem po pierwsze: praca, a po drugie: chorych nawiedzić, spragnionych napoić, głodnych nakarmić, a wszystkim dać po parę groszy, przynieść bułeczki i chwilę pogadać. To zajmowało naprawdę mnóstwo czasu. Baśka siedziała przy oknie z nosem przylepionym do szyby i tęskniła, a babcia kręciła się po kuchni i czasem podsuwała wnuczce coś dobrego na pociechę.

– Przecież możesz wszędzie ze mną chodzić – mówiła mama. – Pani Wanda na przykład chętnie porozmawia z kimś młodym.

Baśka ubierała się więc w grzeczną sukienkę i pantofelki na pasek, żeby nie urazić pani Wandy opiętym dżinsem.

– Możesz używać młodzieżowych wyrażeń, byle nie wulgarnych – zaznaczała mama, zanim weszły. – Pani Wanda ma otwarty umysł i chętnie ich posłucha.

Baśka więc opowiadała, co słychać w szkole, jak najbardziej młodzieżowo się dało, a pani Wanda kręciła głową z zadziwienia nad nowym słownictwem. Mama gładziła Baśkę po włosach, chwilowo z niej zadowolona. Następnym razem, gdy znowu miała iść do pani Wandy, wyciągała z szafy sukienkę dla Baśki. Nie idę, zjeżyła się Baśka. Nie idę. Nie chce mi się siedzieć dwóch godzin w smrodzie naftaliny, słuchać o chorobach, młodzieżowym językiem opowiadać grzecznych kawałków o szkole, gnieść stóp w pantofelkach na pasek. Nie chce mi się, i tyle.

– Sprawisz przykrość pani Wandzie – zmartwiła się mama. – Ona bardzo się ucieszyła z twojej wizyty.

– Więc niech sobie ją zapamięta na długo – naburmuszyła się Baśka i zniknęła w swoim pokoju. Zaraz usłyszała trzaśnięcie drzwi wejściowych, bo dobra mama szła czynić dobro bez swojej złej córki. Która zaraz szła się pocieszyć do talerzyka z ciastkami.

– Twoja mama to złota osoba – zachwycały się sąsiadki. – Umie wysłuchać, doradzić. I pomóc, kiedy trzeba. Ciesz się, że masz taką mamusię.

Baśka starała się cieszyć, ale jakoś nie umiała. A ponieważ nie wychodziło, zyskiwała ostateczną pewność: w odróżnieniu od mamy jest złym człowiekiem.

Dobrym ludziom dobrze się dzieje, taką i Baśka, i mama miały wizję porządku świata. Nieoczekiwanie jednak mamie przestało dziać się dobrze. Okazało się bowiem, że ma guz na trzustce i powinna iść do szpitala. Baśka strasznie się martwiła. Po domu bezradnie kręciła się babcia, a mama wylądowała w koszuli nocnej w wielkiej sali, gdzie leżało mnóstwo pań z sączkami w ranach pooperacyjnych. Te, które mogły chodzić, skupiały się – a co się dziwić – przy łóżku mamy. Operacja miała odbyć się za kilka dni, więc Baśka co dzień była u chorej. Przemierzała autobusami całą Warszawę, stęskniona, przerażona, że już nigdy nie porozmawiają tak naprawdę, że mama już nigdy jej nie przytuli między karmieniem wron a wizytą u pani Wandy, spanikowana, że i ona umrze ze strachu przed zbliżającą się maturą, licząc, że podczas dwóch godzin dozwolonych na wizyty usłyszy od niej wreszcie coś ważnego, coś, co nie byłoby wiecznym: „Myśl o innych, nie o sobie, od razu lepiej ci się zrobi na duszy", „Weź się za siebie, bo znowu rozchodzi ci się suwak w spodniach".

Baśka sama nie wiedziała, o czym chce z mamą rozmawiać, na pewno jednak nie o problemach tych pań, o których mama tak chętnie opowiadała, tylko o mamie, może nawet o Baśce. Ale okolice maminego łóżka okupywały nie tylko współpacjentki, ale wszystkie jej podopieczne z całego miasta. Wspierały, gawędziły, pocieszały i klepały po ręku, zwierzały się i narzekały. Do Baśki też mówiły, zawsze to samo:

– Ciesz się, że masz taką mamusię.

Mama w ślad za tymi słowami posyłała Baśce nad ich głowami krzepiący uśmiech. Bo przecież wiedziała, że jest dobra. Wiedziała, że ją kochają. Baśka patrzyła na nią z ponurą miną, a potem podchodziła do okna i obserwowała szare, paskudne Bródno.

– Nie wdała się córka w matkę – szemrały panie. – Jakaś taka niesympatyczna – szeptały wtedy i później, na tych wczasach odchudzających też.

Baśka czekała przy oknie, aż wreszcie pójdą wszystkie mamine podopieczne, ale jeśli odchodziły jedne, to przydreptywały drugie, cała Warszawa postanowiła oddać hołd jej idącej na operację trzustki matce, więc korytarzem sunął pochód biednych staruszek, schizofreników, zagubionych w kapitalizmie Ukrainek, tylko biednych wron i bezdomnych kotów do szpitala nie wpuszczano. Mama popatrywała na Baśkę smutno, myśląc pewnie, że źle ją wychowała, bo przecież córka osoby o złotym sercu nie może być tak gburowata i niesympatyczna.

Baśka chciała ją mieć tylko dla siebie chociaż w popołudnie przed operacją. Wiedziała, jak bardzo egoistyczne jest to pragnienie, oderwała się więc od okna i poszła sobie, zostawiając mamę smutną, że nie chce wspólnie z nią wspierać połamanych ptaków, poszła więc, łowiąc jej smutne spojrzenie, pełne rozczarowania.

O mały włos byłoby to ostatnie spojrzenie, bo zgrabne ciało matki zbuntowało się na stole operacyjnym i nastąpiły komplikacje anestezjologiczne. Mama wahała się między życiem a śmiercią, a Baśka, kiwając się w domu na krześle i unikając babci, która już zdążyła polamentować na zapas, wyobrażała sobie jej pogrzeb.

I własne życie, gdy ostatnim wspomnieniem o matce będzie pełne obopólnych rozczarowań popołudnie.

Siedziała więc w szpitalu przy nieprzytomnej mamie i szeptała: „Wracaj, wracaj".

Babcia siedziała z drugiej strony i mamrotała różaniec.

Mama po raz kolejny udowodniła swoją słynną siłę. Wróciła.

A razem z nią pełne rozczarowania spojrzenie, gdy okazało się, że przez te troski Baśka nie tylko opuściła się w nauce, ale i jeszcze bardziej przytyła.

To nie była córka, z jakiej mama chciała się cieszyć. Ledwo trójkowa, grubawa, nieruchawa i niestety nic a nic nieżyczliwa ludziom. Mama tylko wzdychała i rzucała się w wir pracy. Baśka, udając pogrążoną w nauce, myślała o chłopakach i dojadała niesprzedane drożdżówki. Jedzenie, w odróżnieniu od innych rzeczy, wychodziło jej świetnie.

Mama kupowała córce luźniejsze ubrania, żeby wstydu nie było widać tak dobitnie. I czuła odpowiedzialność za wszystkie Baśki niepowodzenia, za jej samotność, za wiecznie skrzywioną minę.

Od tamtego czasu niewiele się zmieniło. Choć Baśka dobiegała czterdziestki, mama nadal, jak widać, czuła się za nią odpowiedzialna. Za jej wszystkie niepowodzenia, bliski rozwód i skrzywioną minę. Oraz widoczne wałeczki.

Siedziały w jakiejś marnej kawiarni. Mama zamówiła herbatę, a potem zaczęła przeglądać menu oraz gablotę przy ladzie w poszukiwaniu obowiązkowego ciastka, nic jej jednak nie zadowalało. Sarkała, że skoro ktoś nie umie piec, powinien poszukać lepszego dostawcy. Baśka bała się wstawać, żeby nie pchać mamie przed oczy swojej zbyt mało utraconej tuszy. Kryła się więc za lepkim stolikiem i modliła, by mama przeszła wreszcie do rzeczy, czyli prawdziwej przyczyny wizyty.

– Widzę, że nawet nawiązałaś kontakty towarzyskie – zainteresowała się mama.

Tak. Przestałam wojować z Janiną. Jak na mnie – całkiem duże osiągnięcie, prawda?

Milczała jednak.

Cóż, mamę na pewno uwielbialiby tu wszyscy. A ona dla wszystkich byłaby miła, niezależnie od tego, co myślałaby o ich tuszy.

Mama odchrząknęła, poprawiła się na krześle. Chyba szykował się główny nalot.

– Nie pytasz, po co przyjechałam? – zagaiła.

– Pewnie się domyślasz. Michał. Twoje małżeństwo.

– Moje już prawie byłe małżeństwo.

– Przyjechał tu wczoraj, prawda?

Przecież wiesz. Po co pytasz?

Ale tylko skinęła głową.

– Wyjaśniliście sobie… tę sprawę?

Chodzi o ciążę? Mamo, mamo.

– Wyjaśniliśmy sobie wszystko.

– Lepiej późno niż wcale.

– Mamo, wczoraj dość się nadenerwowałam. Bądź dla mnie miła, pociesz mnie, to wszystko nie jest dla mnie łatwe.

– Co ci przyjdzie z pocieszania, córko? Ktoś powinien ci uświadomić: zepsułaś udany związek.

Póki nikt tego nie wypowiedział, nie wydawało się tak prawdziwe jak teraz, gdy wybrzmiało w beznamiętnym kawiarnianym wnętrzu.

Nie dam dłużej rady, pomyślała Baśka. Próbowała ukryć łzy, wydmuchując nos w serwetkę, ale przecież przed mamą nic nie da się ukryć.

– Rozklejanie się przynosi chwilową ulgę, ale trzeba działać. Może powinnaś była wyjechać razem z nim? – próbowała mama-zawsze-twardzielka.

Gdybyś wiedziała, kto z nim wyjechał…

– Powiedz coś wreszcie, a nie ciągle stroisz te swoje miny. Jeśli tak samo traktowałaś Michała, to nic dziwnego, że cię zostawił. W związku trzeba rozmawiać.

Mamo, błagam. Już dosyć.

Co jednak nie przechodziło jej przez usta.

Wstała więc i wyszła z kawiarni, byle dalej od mamy i jej, słusznych w końcu, pretensji. Może przy okazji uda się gdzieś po drodze zostawić wyrzuty sumienia. Starła cholerną łzę, zostawiając czarne smugi na chusteczce. Po co się malowała dziś rano? Nagle wszystkie działania wydały się zdumiewająco bezsensowne.

I gdzie tu się schować, żeby ją ktoś przytulił, pocieszył i skłamał, że wszystko jeszcze będzie dobrze? Nie widziała takiej opcji, choć może najbliżej niej znajdował się pokój hotelowy z Janiną w środku.

Zanim jednak tam dotrze, będzie musiała pokonać kilka przeszkód. Pierwsza: Andreas truchtający po terenie ośrodka wczasowego.

Nie zdołała go wyminąć. Stanął przed nią. Na pewno zauważył, że Baśka wygląda jak łzawiąca panda.

– Zastanawiałem się – zaczął – czy zechciałabyś przejść się ze mną po obiedzie. Znaczy… Wiem, że tu będzie poobiedni spacer i aqua aerobik, ale to taka gimnastyka raczej dla starszych osób. Natomiast ja mam w planie około piętnastu kilometrów szybkim marszem. Dołączysz?

– Teraz nie mogę, spieszę się.

Wydmuchała nos, wycierając przy okazji skórę pod oczami, miała nadzieję, że dyskretnie.

A on przyjrzał się jej twarzy i dodał:

– Po co się malujesz na marszobiegi? Rozmazało się trochę.

Wygrzebał z kieszeni bluzy chusteczkę, odwrócił się, by zanurzyć ją w kroplach nocnego deszczu, które jeszcze stały na liściach, dotknął jej skóry pod prawym okiem. Cofnęła się, takie to było nieoczekiwane. Skóra schła powoli, jak po pocałunku.

– Widzisz, już nie płaczesz. Fajna z ciebie twardzielka.

Jak na złość znowu łzy, aż głupio tak się cieszyć z jednego życzliwego zdania; przez ostatnie dni zrobiła się płaczliwa, jak Julita w ciąży. Andreas stał bezradnie, po czym zrobił to, co praktykowało się w serialach oglądanych przez Janinę: przygarnął Baśkę do swego szerokiego, męskiego torsu. Pachniał wodą kolońską i świeżym potem. Czuła jego ciepło przez ubranie. Mięśnie klatki piersiowej miał dużo twardsze niż Michał.

– No już, już… Ja już wczoraj chciałem… – szeptał jej do ucha.

Opierała o niego czoło, wypłakując całe to pomieszanie.

Brakowało tylko, żeby teraz zobaczyła ją mama. I, przez okna pokojów, wszystkie wielorybki. Żeby Baśka musiała przy wszystkich następnych posiłkach znosić ich grube aluzje i rubaszne żarciki na temat Andreasa. Wyplątała się z kojących objęć, wytarła oczy grzbietem dłoni, pal sześć pandę.

– Odprowadzę cię do pokoju – zapowiedział.

Szedł u jej boku i popatrywał na nią z troską, co znowu ją rozdrażniło. Tęskniła za poprzednią bliskością. On chyba też, bo gdy z hallu przeszli na korytarz hotelowy, wziął ją za rękę.

– Który pokój? Bo ja mieszkam tam – machnął ręką w kierunku trzecich drzwi i zwolnił kroku.

Ona też. W końcu przystanęli.

Teraz powinni spojrzeć sobie w oczy, pocałować się, a tuż za drzwiami pokoju zerwać z siebie nawzajem ubrania.

Stanęła przed nim i spojrzała mu w oczy. Po czym się pocałowali. Leciutko, samymi wargami. Andreas oderwał się od niej, żeby otworzyć drzwi; ledwie trafił kluczem w dziurkę. Zaraz za drzwiami znowu się pocałowali, odrobinę odważniej. Całował zupełnie inaczej niż Michał. Inaczej pachniał. Musiał się do niej pochylać, co kątem oka zobaczyła w lustrze umocowanym w drzwiach szafy. Zauważyła tam, niestety, również swój zbyt opięty na wałeczkach dres. Wyglądał groteskowo, mama miała rację.

Przymknęła usta, odsunęła się trochę.

– Co się stało? – zdziwił się Andreas, który policzki miał obecnie dużo bardziej czerwone niż na marszobiegu.

– Jakoś... nie jestem chyba na to gotowa – okrągłe zdanie jak z serialu, i chwała telewizji, że tkwiło gdzieś na podorędziu w tej ambarasującej sytuacji.

Andreas na chwilę zamknął oczy. Baśka cieszyła się, że nie wie, co się dzieje w jego głowie.

– Zagalopowałem się.

I chyba Baśka musiała mieć niewyraźną minę, bo zaraz dodał:

– Tak się mówi po polsku?

Robiło się coraz bardziej głupio. Jak Janina by sobie z tym poradziła?

– Andrzej... – Baśka się uśmiechnęła i pogładziła go po policzku. – Chętnie z tobą pójdę na te kilometry.

Rozpromienił się.

– Ale nie dziś. Wybaczysz?

I wyszła. Dumna, że na koniec udało jej się coś załatwić po dorosłemu.

Ciekawe, gdzie ukryła się mama. Istniała również możliwość, że uniosła się honorem i opuściła miejscowość wczasową. Mogła też przejść się na obiad i podbić serca wszystkich kobiet przy stole.

Mama jednak stała na korytarzu przed jej pokojem.

W pokoju leżały dwie sterty przepoconych ciuchów, pachniało głównie Janiną. Mama umiejętnie udawała, że jej to nie razi. Baśka przeniosła stertę z krzesła na łóżko i usadziła na krześle mamę, która nadal starała się nie rozglądać, by wpatrywać się w Baśkę.

– Przemyślałam sprawę i już rozumiem, że cię uraziłam. Byłam zbyt obcesowa, prawda?

Milczenie oznacza zgodę, tak założyła Baśka.

– Dziecko, odezwij się wreszcie! Nie umiem czytać z twoich min! – zdenerwowała się mama.

Skończmy więc te podchody.

– Zdradził mnie, mamo. I chce z nią być. A ona jest przynajmniej dwa razy grubsza ode mnie.

Mama ewidentnie przeżuwała nowinę, która i jej zrujnowała kawałek świata.

Nagle do pokoju wtargnęła kobieta wydma, dziś jeszcze większa niż zazwyczaj, bo odziana nie w wyszczuplającą czerń, lecz w jasny dres.

– O, przepraszam – powiedziała Janina. – Janina Rydel, współlokatorka.

Spojrzała na Baśkę, która lekko zaryczana siedziała obok mamy, i poklepała ją po plecach.

– Zdążyłyśmy się z Basią już trochę zaprzyjaźnić.

270

Bolący brzuch Baśki nieco się rozluźnił po tych słowach, po tym ciepłym geście, ale tylko na chwilę, bo zaraz zauważyła spojrzenie matki. A mama najpierw oszacowała wagę Janiny, Baśka dostrzegła to w jej oczach i paliła się ze wstydu, Janina jednak nic sobie z tego nie robiła. Następnie mama zmarszczyła czoło, zastanawiając się pewnie, skąd tamtą zna. A potem skupiła się jednak na tym, co umiała najlepiej: na dawaniu. Nie dobrych rad, te, jako towar najcenniejszy, trzymała dla Baśki. Na dawaniu jedzenia.

– Wiem, że wam słodyczy tu nie wolno – Baśka wyobraziła sobie komiksowy dymek ulatujący z mamy głowy: „Choć pani te zakazy i tak niewiele pomogą" – ale przywiozłam wam trochę owoców. Samo zdrowie i nie tuczą. – Mama wyjęła dwie torby na stolik, rozejrzała się i wyciągnęła – Baśka była pewna, że to będzie coś takiego – koszyczek na owoce. Uformowała apetyczną piramidkę z jabłek, bananów, mandarynek, pomarańczy i winogron.

– Śliczne – uśmiechnęła się Janina. – To ja polecę na spacer, nie będę przeszkadzać.

Chwyciła kurtkę i poczłapała do drzwi.

Matka odczekała chwilę, żeby kroki na korytarzu ucichły, po czym szepnęła:

– Ale ci się trafiło. Tobie, która nie lubisz kontaktu fizycznego z obcymi.

– Janina jest w porządku – skontrowała Baśka.

Mama znowu spoważniała.

– Mówisz, że Michał związał się z grubaską? Taką jak ta? Przedziwnymi drogami chadzają męskie upodobania. Ale jak to mówią: każda potwora znajdzie swego amatora.

Kręciła głową, zaprzeczając każdemu swojemu słowu.

– W takim razie już rozumiem, dlaczego nie masz motywacji do odchudzania.

Rozwiesiła na wieszaku przywiezioną przez siebie bluzkę, umocowała całość na drzwiach szafy, odchudzające memento. A owoce stały na stole, pachniały i ewidentnie miały w sobie za dużo cukru.

Mama Baśki co sobota siadała przy kuchennym oknie, na parapecie stawiała lusterko powiększające. W świetle dziennym, czyli najlepszym, szukała w swojej ciemnej fryzurze siwych włosów, po czym wyrywała je bezlitośnie pęsetą. Włosy zza uszu, znad karku, musiała wyrywać jej Baśka. Przy każdym szarpnięciu mama próbowała tłumić jęk, ale łzy napływały jej do oczu.

Baśka odkładała pęsetę, już nie mogła, ale mama błagała, żeby rwała, do ostatniego siwego włosa. Kiedy wyprowadziła się z domu, mama próbowała zwabić ją w kolejne soboty, ale Baśka dzielnie się opierała. Nigdy więcej pęsety!

W końcu mama skapitulowała i wreszcie pofarbowała sobie włosy. Do dziś je nosiła, dzielnie rude, ułożone w sztywne loki, ani jeden nie śmiał wymknąć się na wolność.

Mama, usiłująca pęsetą wygrać z czasem. Dzielna, biedna mama.

Walka z czasem. Ze śmiercią. Baśka nie chciała o tym myśleć. Ale wracało, w najbardziej nieoczekiwanych momentach.

Język w półotwartych ustach wyglądał jak spierzchnięta truskawka. Babcia leżała na specjalnie skonstruowanym łóżku do odchodzenia z tego świata. Otaczał ją zgniły, miło-niemiły zapach, wypełzał do przedpokoju, stapiał się z zapachem mieszkania. Był wynikiem odleżyn oraz wielu fałd i zakątków trudnego do mycia starczego ciała. Babcia stawała się meblem zrośniętym z drewnianym łóżkiem, meblem mówiącym dziwne rzeczy. Wykończonym spierzchniętą truskawką.

– To moja mama – mówiła mama Baśki i prezentowała zdumionym gościom babcię-wiecznie-leżącą.

Babcia odpowiadała:

– Dzień dobry, Joasiu – bo do wszystkich zwracała się w ten sposób i śmierdziała po swojemu.

Umieranie babci nie nadawało się chyba jednak do pokazywania w towarzystwie. Goście usiłowali zagadać zakłopotanie między sobą, no bo jak rozmawiać z meblem o twarzy staruszki. Mama jednak ponawiała

usiłowania, choć – jak uświadomiła sobie Baśka – rozmowa wcale nie musi być uznaniem człowieczeństwa,
mówi się przecież do psa („Dlaczego narzygałeś akurat
na dywan, skoro mogłeś to zrobić na linoleum o metr
dalej"), mówi się do ryżu („Ale się obrzydliwie przy-
paliłeś"), przemawiało się i do babci.

Żeby sobie pomóc, żeby pobudzić w sobie miłość
do babci, Baśka wyciągała zakurzonego misia Kacper-
ka w szronowobłękitnych majteczkach uszytych kiedyś przez babcię podczas ferii, wspominała ich dobre
chwile, przecież było ich dużo, przecież było ich całe
mnóstwo. Na przykład wszystkie wspólne posiłki, her-
batki, drożdżówki kończone sakramentalnym „ładnie
zjadłaś, wnusiu", gdy już Baśka zaczęła ładnie jeść.
I modlitwy przy łóżku mamy w szpitalu. I czekanie
z babcią na listonosza i emeryturę. I patrzenie, jak
babcia przebierała palcami ziarenka różańca, mamro-
cząc pod nosem święte słowa i uderzając się co jakiś
czas w pierś pokutną, popatrując na Maryję wysoko
na półce w babcinym pokoiku. Maryja miała niebie-
ski płaszcz, a cześć jej oddawała wiecznie paląca się
czerwona lampka. Paliła się naprawdę wiecznie, Baśka
nieraz budziła się w nocy i przychodziła, żeby popatrzeć na niezmordowane światełko. Było drugą wieecz-
ną rzeczą oprócz Boga, o której wiedziała.

Mama musiała pracować, więc z umierającą babcią
siedziała nie tylko Maryja w błękitnym płaszczu, ale
i różne wynajęte panie, i to nie wszystkie Ukrainki.

Baśka nawet nie próbowała się z nimi zaprzyjaźniać. W domu było dostatecznie obco i nieswojo z babcinym umieraniem, żeby jeszcze oswajać wszystkie te tymczasowe osoby, które nie znalazły lepszej roboty, więc siedziały tutaj, za grosze, jak podkreślały niektóre.

– Kiedy babcia zachorowała, cała rodzina obiecała, że będzie pomagać, a tymczasem nikt nic nie robi, czasem wpadną i przyniosą pomarańcze – żaliła się biedna mama. – A ona przecież nawet ich pogryźć nie może.

A potem podchodziła do babci i całowała ją w rękę.

– Przepraszam, mamusiu – i płaciła kolejnej pielęgniarce.

– Nie płacz, Joasiu – odpowiadała babcia i nikt nie wiedział, ile z tego wszystkiego rozumie.

Tamtego dnia Baśka długo spała.

– Joasiu! – Jeszcze nie bardzo wiedziała, o co chodzi.

– Joasiu! – Krzyk brzmiał dramatycznie. Pojęła. Wołała babcia. A więc umrze dzisiaj, przy Baśce.

Zerwała się i pobiegła do pełnego woni pokoju. Babcia, zawstydzona, wyglądała całkiem przytomnie. Były same, tym razem bez opiekunki, więc staruszka pozostawała całkowicie w mocy Baśki.

– Kupę mi się chce – wykrztusiła wreszcie bezradnie.

Dziewczynka nie wiedziała, co robić. Wzięła basen, który stał pod łóżkiem, zdjęła pokrywkę, cofnęła głowę, bała się nowego zapachu wżartego w emaliowaną powierzchnię, ale go nie wyczuła. Potem czas na odsłonięcie kołdry, podkasanie koszuli, podniesienie babci, wsunięcie basenu pod jej nagie pośladki, wyjście z pokoju podczas stękania.

Stała z basenem w ręku.

Nie potrafiła odsłonić krocza babci. Przecież nigdy nie widziała jej powyżej rękawa ani kraju spódnicy, poniżej linii zabudowanego dekoltu.

– Babciu, nie dam rady. Babciu, wytrzymasz? Musimy zaczekać na mamę.

Siwa głowa pochyliła się nad linią kołdry. Siwy kłaczek spadł jej na zawstydzoną twarz. Baśka odsunęła go pieszczotliwym ruchem.

Czekały.

Ale nie wtedy babcia umarła. Stało się to parę miesięcy później.

Baśka zastanawiała się, skąd znalazła w sobie wówczas tyle okrucieństwa, żeby zostawić mamę samą z umieraniem. I skąd przedtem mama tyle go w sobie miała, żeby zostawiać ją dzień w dzień sam na sam z kimś, kto może umrzeć w każdej chwili. Baśka zamartwiała się nocami, zamartwiała, wracając ze szkoły, pytania krążyły jak osy nad drożdżówką. Jak wygląda umarły? Co się wtedy robi? Dzwoni na pogotowie? Ale po co, ze śmierci nie wyleczą. Do księdza się dzwoni? A może do księdza się idzie?

I zostawia umarłą samą? I jak potem wchodzić do domu, w którym leży trup? A jak w międzyczasie mama wróci do domu i odnajdzie trupa zamiast babci? Pytań było dużo i wszystkie niewygodne. Baśka wiedziała, że nie może z mamą o tym rozmawiać, bo ona zawsze powtarzała: „Nie damy babci umrzeć", jakby chciała, żeby ten stan zawieszenia trwał wiecznie.

Baśka w wakacje z rozkoszą wycofała się z pełnego umierania domu na dwutygodniowy obóz dla licealistów, żeby uciec od tych myśli, dylematów. Nie lubiła obozów, bo bała się rówieśników wpatrujących się w jej za duże ciało, ale wtedy wydali się mniej straszni od śmierci czyhającej w bliskości babci.

Przed samym wyjazdem weszła do tamtego pokoju, przyzwyczaiła się już do jego woni. Pochyliła się nad starym ciałem, chciała pocałować babcię na pożegnanie. Aż ją zemdliło od tego zapachu i przez głowę przebiegła myśl, że może to jej ostatni pocałunek złożony na policzku babci, oby ostatni. I wtedy babcia nagle uniosła chude i bezsilne ręce, odepchnęła wnuczkę i krzyknęła:

– Idź precz, szatanie! – I choć od krzyku brakowało jej tchu, to jednak chrypiała: – Diabeł, diabeł!

Babcia, obdarzona przenikliwością umierających, odgadła Baśki prawdziwą naturę, tak Baśka myślała jeszcze długo po powrocie z obozu.

Bo wtedy, po dwóch tygodniach spędzonych daleko, Baśka przekręciła klucz w zamku, weszła do domu. Dom pozbawiony był zapachu, tego zapachu, który trwał tu od paru miesięcy, nie czuć było OBEC-NOŚCI. Nie musiała nawet zaglądać do tamtego pokoju, bo już wiedziała. Na miejscu łóżka do umierania stała teraz całkiem zwyczajna kanapa. I nikt na niej nie leżał.

Baśka się z babcią nawet nie pożegnała, nieświadomie w każdym razie. I choć wdzięczna była mamie, że zaoszczędziła jej trudnej końcówki: agonii, widoku ciała, kostnicy, pogrzebu, to jednocześnie czuła, że jej tego zabrakło.

Jeszcze postały na molo, jeszcze popatrzyły na fale i mewy, jeszcze pomilczały, aż mama wreszcie zdobyła się na wyznanie.

– Musisz mi coś wybaczyć, Basiu – wykrztusiła.

Żołądek Baśki znowu zaczął szaleć.

– Jakiś czas temu widziałam twojego Michała w, hm… – odchrząknięcie – sytuacji niedwuznacznej.

– Słucham?

– Powiedziałaś, że on z jakąś grubaską… I wtedy skojarzyłam. Ja ich widziałam. Parę miesięcy temu. Weszli do hotelu. Bardzo długo nie wychodzili. Myślałam, że poszli coś zjeść, ale sprawdziłam, i wcale nie siedzieli w restauracji. Musieli więc być na górze, prawda?

– Dlaczego mi nie powiedziałaś?

– Bo… bo nie byłam pewna, co naprawdę widziałam.

Cóż, daty się zgadzały.

– Rozpoznałaś tę kobietę?

– Chyba nie, ale wiesz, dla mnie wszystkie grube wyglądają podobnie. A co, powinnam ją znać?

– Nie. Raczej nie.

– Chcę więc powiedzieć, że cię rozumiem, Basiu. Twój smutek, brak motywacji. Ja… ja bardzo przepraszam, że namawiałam cię do powrotu do męża. Bo Michał ewidentnie nie jest w porządku.

Fajnie, że się czasem zgadzamy.

– Bo przecież coś musi być nie tak z mężczyzną, który woli grubaskę od normalnej kobiety – zakończyła dobitnie mama. – Znajdź sobie kogoś normalnego, ja już nie będę cię do niczego namawiać. Poza tym, żebyś jednak poszukała w sobie motywacji i doprowadziła sprawę odchudzania do końca.

Wtedy Baśce ręce opadły.

Moja biedna mama, pełna sprzecznych komunikatów. Moja biedna, samotna mama, pomyślała Baśka.

Aż wreszcie zrobiła to, na co jeszcze przed chwilą nie miała ochoty. Przytuliła mamę i po raz pierwszy od dawna nie zastanawiała się, jak razem wyglądają.

Mama nareszcie wyjechała, przecież nie mogła zostawić cukierni na dłużej niż jeden dzień, a pojęcie

„emerytura" było jej wstrętne, bo niektórzy używali go jako synonimu starości.

Baśka w swoim pomieszaniu marzyła tylko, by zapaść w pościel i zniknąć ze świata na dłuższy czas. Ale się nie dało. Bo gdy obie wróciły do pokoju, Janina zaraz ułożyła się bokiem na łóżku, gotowa do rozmowy.

– Twoja mama chyba mnie nie polubiła. Ona nie przepada za grubasami, prawda? Czułam jej dezaprobatę, rozbierała mnie wzrokiem jak tucznika na sprzedaż. Zupełnie jak ty na początku.

O rany.

– Na mnie mama też tak zawsze patrzyła. Jaśka, przepraszam. Za nią. I za siebie.

– Przynajmniej już wiem, skąd to masz – dorzuciła Janina i sięgnęła po mandarynkę.

Baśka wzięła sobie pomarańczę i z całej siły usiłowała przegonić wyrzuty sumienia. No precz, cholerniki, raz chcę coś zjeść w spokoju.

Zjadła, choć coś tam w żołądku się lęgło. Ale stłumiła.

Janina

Opowieść o mamie wylewała się z Baśki jak z garnka z kipiącym makaronem. Nic dziwnego, że dziewczyna taka pokręcona.

Baśka

A potem przeszły do tego, co najbardziej uwierało Janinę. Do śmierci. Znowu śmierci. Jak umierał jej mąż. Dlaczego umierał.

Wygląda na to, że zabiła męża cholesterolem, pomyślała Baśka, wysłuchawszy smutnego epitafium Janiny. Wykończyła sercowca tłustym żarciem, zatuczyła go na śmierć, a przedtem jeszcze zabrała mu robotę.

I dobrze mu tak. Należało się. Przecież przedtem zabrał żonie wszystko. Przeszłość, pracę, a w końcu nawet radość z gotowania i jedzenia. W zamian ona zabrała mu życie, karmiąc śmietaną trzydziestką, gęsim smalcem i smażeninami.

Tyle że on miał wybór: mógł nie jeść.

W sumie Janina też miała wybór. Mogła nie rodzić i walczyć o swoje.

Łatwo powiedzieć: mogła nie rodzić.

– Zabrałam mu jego program telewizyjny – niemal biła się w piersi Janina. – Ukradłam mu sens życia. A potem porzuciłam, żeby przejść do kulinarnego.

A w Baśce narastał gniew na martwego dziada, Jasinego męża. Że jeszcze po śmierci zatruwa żonę. I na Janinę. Że pozwala się zatruwać.

– Jasia, nie marudź. Należało mu się.

Tamta zesztywniała, zacisnęła usta.

– Basiu, to nie jest temat do żartów.

– Pewnie, że nie. Zastanów się chwilę, ile ci zabrał. Radość życia, gotowania. Pracę, bo go obsługiwałaś. I nigdy nie był z ciebie zadowolony. Źle mówię? Cud, że jeszcze znalazłaś siłę, żeby powalczyć o siebie. Cud. Naprawdę.

Janina

To nie były dobre myśli, te, które podsuwała jej Baśka. Nie były sprawiedliwe.

O umarłych mówi się dobrze albo wcale, znała to przysłowie. Więc wcale, do końca życia lepiej wcale. Ale przecież było trochę dobrego, tłumaczyła sobie, wspominając czerń lat osiemdziesiątych i spokój ostatnich ich wspólnych miesięcy. Wtedy przecież nie było najgorzej. Teraz jednak wracało to, co w powszedniej wędrówce między sklepami, kuchenką, zlewozmywakiem a stołem gdzieś się zapodziało. I właśnie znowu wygrzebywało się z pamięci, obudzone przez podjudzanie Baśki.

Na przykład rozmowa rekrutacyjna, gdy Janina, odchowawszy Jerzyka, postanowiła wrócić do pracy. Druga połowa lat dziewięćdziesiątych, od paru lat kiełkowały nowe życiowe możliwości, a rekrutująca dziewczyna kręciła głową nad jej łysym CV.

– Zadzwonimy do pani – skrzywiła się. Janina wyszła pełna nadziei, a potem tygodniami czekała na ten telefon jak głupia, zanim zrozumiała, że tak się teraz mówi: Nie licz na nic.

– Paweł, zaproteguj mnie – po kilku podobnych rozmowach złamała się Janina. – Masz tylu znajomych, niech ktoś mnie weźmie do pracy. Przecież wiesz, że potrafię. Pamiętasz.

– Co? – spytał nieuważnie.

– Organizowałyśmy pracę związku w podziemiu. One przecież znalazły fajne posady. Teresa na przykład…

– Jasiu, kochanie. Oczywiście, że pamiętam, jak dzielnie nas zastępowałyście podczas naszej nieobecności. Ale nie mogę ci załatwiać pracy po znajomości – i uderzył w dzwon pryncypiów – to przecież byłoby nieuczciwe.

Zamykał jej tym usta.

– Przecież nie chodzi o nepotyzm, tylko o to, żebym miała szanse się sprawdzić.

– Jasiu, wszystkie twoje koleżanki z konspiry wykorzystały swoje szanse. Ty od lat siedzisz w domu. Co cię nagle napadło?

Ja ci pokażę, myślała, znowu wbijała się w oficjalne ciuchy z poprzedniej epoki i chodziła na kolejne rozmowy rekrutacyjne. Ale ewidentnie przegapiła moment, gdy każdy z inteligencją, przebiciem, średnią choćby znajomością angielskiego i obsługą komputera (to była w stanie szybko nadrobić, pocieszała się, w końcu radziła sobie z powielaczem) dostawał wysokopłatną pracę ze służbowym samochodem, a nawet z własną sekretarką. Teraz, w środku lat dziewięćdziesiątych, coraz bardziej ceniono CV, u niej przecież tragicznie puste. No chyba żeby wpisać:

lata osiemdziesiąte – wydawanie prasy podziemnej,

1989 – urodzenie syna,

1989–1997 – praca nad formowaniem młodej duszy w połączeniu z podtrzymywaniem ogniska domowego i obsługą robiącego karierę męża.

Paweł jeszcze podsumowywał:

– Niech każdy robi, co mu pisane. Do czego jest przeznaczony. Co mu najlepiej wychodzi.

– Ale ja oszaleję w domu!

– Nie mów tak. Przecież robisz coś ważnego. Obaj z Jurkiem mamy dokąd wracać. To jest bardzo ważne, tworzenie domu. Budujesz podstawę, tak naprawdę. Dzięki tobie mam siłę robić wszystko, co robię.

Ale ja nie mam siły robić tego, co robię – chciała pozrzędzić, ale była pewna, że nie będzie słuchał. Gdy zaczynała swoje żale, wyłączał się od razu.

– Na co narzekasz? Źle ci? Mąż zarabia, a ty tylko możesz leżeć i pachnieć – dziwiły się koleżanki, które same zasuwały na dwóch etatach, w pracy i w domu.

I nawet nie miała komu opowiedzieć, że ma dość codziennego paciorka:

wstać,

podać śniadanie i zaprowadzić syna do szkoły,

wrócić, po drodze dokonując niezbędnych zaku-
pów,

ogarnąć dom po śniadaniu i porannej zawierusze,

chwila dla siebie, czyli kawka–pisemko–ciasteczko
lub kawka–telewizja–ciasteczko,

ugotować obiad, na szczęście można siekać, obie-
rać i mieszać, słuchając radia,

powitać syna,

podać synowi obiad,

pomóc synowi w lekcjach,

zaprowadzić syna na zajęcia pozalekcyjne,

kolacja dla syna,

powitać męża,

podać mu kolację i zjeść z nim,

skłonić Jerzyka, by choć chwilę z nimi posiedział,

ogarnąć dom,

zastanowić się, co na obiad na jutro i czy mąż ma
czystą koszulę ze wszystkimi guzikami, bo on nie
zwracał uwagi na takie detale,

w międzyczasie wyprać, rozwiesić, złożyć, wypra-
sować, odkurzyć, umyć, zamieść, posadzić kwiatki
na balkonie, pasteryzować przetwory, zacerować
swetry, uszyć zasłonki, załatać spodnie, ułożyć w sza-
fach, zanieść buty do szewca, bieliznę do magla, we-
zwać mechanika do cieknącej pralki.

Jednym słowem rutyna. Synonimy? Monotonia.
A trafniej? Nuda. Nuda. NUDA.

Tęskniła za prawdziwym życiem.

On ratował Polskę, ona prasowała pieluchy. On wpadał się przebrać, ona prała koszule. On zdobywał świat, ona kolekcjonowała przepisy. On przemawiał do szanownych gremiów, ona gawędziła z Jerzykiem.

Zadzwoniła do nich jakaś pani pisząca książkę o kobietach Solidarności, o których w wolnej Polsce zupełnie zapomniano, bo nagle okazało się, że cały przewrót zrobili panowie. Janina się ucieszyła, że będzie mogła się wygadać, choć ona jakoś ciągle nie miała odwagi myśleć w ten sposób o tej całej historii.

Co na to Paweł? Zastosował swoje ulubione remedium, czyli ciche dni. Janina szybko się złamała: no dobrze, porozmawia z tą panią, ale tylko anonimowo. Tamta anonimowo nie chciała, liczyła na fakty i nazwiska, bo książka miała być reporterska.

Książka powstała więc bez udziału Janiny. Ale nawet gdyby powstała przy jej udziale, czy to by coś zmieniło?

Tak toczyło się życie, aż Jurek wyjechał na studia, Paweł dostał zawału, a ona dostała robotę w telewizji.

Przecież nie chciała go zabić żadnym cholesterolem. Przecież chciała, żeby żył, obierał ziemniaki i uśmiechał się do niej.

Ale może jego to po prostu nie bawiło. Więc zafundował jej wieczne ciche dni.

Musisz pozbyć się tych cholernych wyrzutów sumienia, tłumaczyła gniewna Baśka. Nikt nie może mieć do ciebie pretensji, że wreszcie zajęłaś się swoim życiem, zamiast wiecznie usługiwać mężowi. Może, myślała Janina. Może. Ale nie chciała tego traktować jak akcji odwetowej, zemsty. Choć gniew Baśki był kuszący, porządkował świat na złych i dobrych, przy czym dobrymi byliśmy zawsze my, i nawet zdrada wydawała się uzasadniona, choć o tym Baśka akurat nie mówiła.

Nie, Janinie nie wolno gniewać się na Pawła. Nie wolno.

Miała już dość śniadań złożonych z zimnych warzyw, więc grzebała widelcem bez przekonania w sałatce z kapusty, papryki i fenkułu, czyli kopru włoskiego. Wyjadłaby sam fenkuł, miał ciekawy smak, ale trudno go było wyodrębnić z mdławych warzywnych zasp. Tęskniła za poranną jajecznicą jak za rajem utraconym. Paweł chwalił kiedyś, że Janina robi dobrą jajecznicę, białko ścięte, żółtko półpłynne. A potem przestał ją jeść, bo cholesterolu brzydził się nawet bardziej niż Janiny.

Baśka zerkała na Andreasa. Może i wyjdzie z tego jakiś związek. A gdyby wyszedł, może zelżeją Jasine wyrzuty sumienia. Ania też zauważyła kierunek spojrzeń Baśki, trąciła więc Janinę porozumiewawczo łokciem w bok. No nie. Niech te głupie przestaną, bo popsują, co delikatne.

– Wiecie co? – zaczęła Janina. – Tak się ścigamy, gubiąc kilogramy, wymasowując ten cellulit, ale właściwie sama nie wiem, po co.

Udało się. Spojrzały na nią, zupełnie jakby postawiła na stole ciastko z kremem. Już żadna nie zwracała uwagi ani na Baśkę, ani na Andreasa.

– Jak to nie wiesz, po co? – zaniepokoiła się Ania.

– Przecież chodzi o zdrowie... – dorzuciła Magda.

– Tak, akurat, zdrowie – zaśmiała się Janina. – Twierdzisz, że masz za duże pośladki. Zawsze takie miałaś, sama mówiłaś. Chcesz robić lipolizę. Liposukcję. Lipo--sama-nie-wiem-co. Co ma z tym wspólnego zdrowie? Od pierwszego dnia rozmawiacie przy tym stole o efekcie jojo i jak go uniknąć. O głodówkach, proszkach odchudzających i niskokalorycznych koktajlach z saszetek. Oglądacie, czy po odchudzaniu nie zwiotczało wam to i owo. Zastanawiacie się, co zrobić, gdy zwiotczało. Naprawdę chodzi wam o zdrowie?

– Policzcie, ile czasu poświęcacie na to wszystko – nieoczekiwanie poparła ją Baśka. – Na to całe odchudzanie, upiększanie.

Zamarły, bo fakt, że Baśka się odezwała, był dziwniejszy, niż gdyby przemówił fenkuł zwany również koprem włoskim.

– Mnie się wydaje – ciągnęła Baśka – że dałyśmy się zwariować. Wszystkie siły, cała kawaleria skierowana na to, żebyśmy były chudsze, młodsze, ładniejsze. Nie rywalizujemy w pracy, nie rywalizujemy z mężczyznami, tylko rywalizujemy ze sobą, która ładniejsza. A co za to można dostać w nagrodę? Nic.

– Jak to nic?! – zdenerwowała się Magda. – Jak to nic?!

– A co chcesz uzyskać, jeśli zrzucisz trochę z bioder?

– Ona ma rację – nieoczekiwanie poparła ją Janina. – Ma świętą rację. Wszystkie siły wkładamy w zrzucanie schabów. Prześladujemy te, które nie zrzuciły. A najgorzej te, które mają śmiałość być grube i nawet się nie starają. Wiecie, ile komentarzy od hejterów pojawia się pod moimi programami na stronie telewizji? I wcale nie chodzi o to, co mówię. Oni komentują mój wygląd. Dla nich najważniejsze, że jestem gruba.

– Zobaczcie, ilu tu mężczyzn. – Baśka wskazała Andreasa i jego kumpla. Andreas uśmiechnął się do niej, więc na chwilę straciła rezon. – Raptem dwóch. Po co przyjechali, jak myślicie? Chcą podreperować formę. Im nie zależy, jak wyglądają, biorą swoje. A my? Kto nas zagonił do tego durnego wyścigu?

Ania wzruszyła ramionami.

– Aleście nas zmotywowały. – I wstała od stołu.

– To ja idę na durny marszobieg – dorzuciła Magda i podążyła za tamtą, kołysząc pośladkami godnymi

Wenus z Willendorfu. Gdyby prehistoria dysponowała telewizją, na pewno właśnie takie pośladki wypełniałyby wszystkie ekrany.

– Nie przetłumaczysz. – Baśka wzruszyła ramionami.

– Ano nie – zgodziła się Janina.

Baśka

Całe przedpołudnie chodziła spięta ze strachu przed obiecanym Andreasowi poobiednim spacerem. Kilkanaście kilometrów razem. Czy nadąży? Czy się nie zasapie? Czy da radę rozmawiać? I o czym? Czy w ogóle powinna iść? Jeszcze sobie facet coś pomyśli, że idzie z nim do lasu. Po co ona się na to zgodziła? Ale teraz? Odwoływać? Dziecinada przecież.

Ano dziecinada. Bo ledwie przełknęła obiadową sałatkę (ogórek, rzodkiewka, cukinia, piórko koperku, czyli tak naprawdę sama woda, z niewielką domieszką smaku i soli mineralnych), tylko liznęła kalarepki na ciepło i zupy, bo żołądek tężał i szalał pod spojrzeniem Andreasa z sąsiedniego stolika. Chwilami się nawet czerwieniła, zwłaszcza na wspomnienie jego szorstkich warg.

– Chyba to jednak nie gej, skoro mu się spodobałaś – szepnęła jej któraś. Mimo porannej kłótni o odchudzanie ciągle nie do końca je odróżniała, ale jakie to miało znaczenie parę dni przed końcem spo-żywczo-fizyczno-wczasowej męki.

Wprawę w erotycznych szachach miała niewiel-ką, bo przecież za wiele się w życiu nie narandko-wała. Tyle co z Michałem. A i wtedy występowała z uprzywilejowanej pozycji królowej piękności. Tym razem była co najwyżej królową wałeczków w talii, uwydatnionych przez opięty dres, co zdecydowanie przedefiniowywało jej stosunki z mężczyznami.

Stosunki? Nie, nie chciała żadnych stosunków, żadnych związków, póki nie dojdzie do ładu ze sobą. Związków ani spacerów.

To właśnie powiedziała Andreasowi, gdy wstali od obiadu.

Pokiwał głową i wykrzywił usta w czymś w rodza-ju uśmiechu. Między siekaczami tkwił mu listek ko-perku, co Baśkę dziwnie rozczuliło. I nawet zachciała się do niego przytulić.

Ale przecież oczywiste, że tego nie zrobiła.

Baśka siedziała w hallu nad herbatą z hibiskusa i rachowała się z życiem, przerażona tym, czemu bę-dzie musiała stawić czoło.

Po pierwsze: mama, myślała sobie Baśka. Nie była pewna, czy jeszcze potrafi z nią rozmawiać. Z mamą, człowiekiem prostych równań. Dajesz dobro – dostajesz dobro. Dajesz urodę – dostajesz uwielbienie i miłość. Zapuszczasz się – twój duch również niedomaga. Kochasz się w grubasce – jesteś nienormalny.

Tak, po pierwsze: mama. Po drugie: cała reszta.

Baśka bała się stąd wyjeżdżać. W ośrodku życie było upierdliwe i męczące, ale proste. Ćwiczenia od rana do wieczora, wystarczyło się stawić, jedzenie bezkaloryczne podane pod nos, zero pokus, bo ośrodek z dala od wszystkiego, i to jeszcze poza sezonem, więc smażalnie nie nęciły swoim wątpliwym wdziękiem, zwłaszcza od kiedy Baśka zapoznała się z flądrą w panierce i z cholernym obrzydliwym sosem czosnkowym.

No i panie, szare foki z nadwagą od kilku do kilkudziesięciu kilogramów, nie tworzyły psującej humor skali porównawczej.

Ale oto czekała Warszawa, a w niej ulice pokus, chodniki pełne pięknych kobiet i smutne puste mieszkanie, z którego tak łatwo było uciec w jedzenie.

Cholera. Andreas usadowił się naprzeciwko i znad parującego kubka popatrywał na nią.

Unikała jego wzroku, w końcu miała prawo tu siedzieć, nienagabywana, ale na dłuższą metę było to męczące. Wstała, żeby iść do pokoju, dosyć tego prześladowania.

Podszedł do niej.

– Nie bój się – powiedział. – Po prostu się przejdziemy. Proszę.

Ona się boi? Też coś. Pewnie, że pójdzie. Ale z kijkami. Widział kto randkę z kijkami? Więc będzie to zwykły marszobieg. Tyle że we dwójkę.

Słońce niespodziewanie wyszło i prześwitywało między gałęziami. Nie szli nad morze, skręcili w przeciwną stronę. Kawałek po asfalcie, kijki stukały nieprzyjemnie, potem w leśną drogę. Las przechodził w łąki, Baśka starała się dotrzymać Andreasowi kroku, niewiele mówili, coś o słońcu, coś o krajobrazie, niezobowiązujące uwagi, jakby się przed chwilą spotkali w windzie. I przed czym było się bronić?

Niespodziewanie na rozwidleniu Andreas skręcił w prawo, w dróżkę, która biegła w górę. W górę?! Nie dam rady, pomyślała Baśka po paru krokach, oddechu zabrakło, ciemno jej się zrobiło przed oczami. Andreas nawet nie zwolnił. Ale skróciła krok, oddech zaczął się uspokajać, a serce już tak nie szalało.

Wdrapała się wreszcie. Andreas stał przy ścieżce, bokiem do niej. Przed nimi coś błyszczało. Między drzewami, w dole, mieniło się w słońcu jeziorko obrośnięte drzewami i krzewami. Krzewy zachowały jeszcze trochę kolorów, choć tuż za nimi stały nagie drzewa i wyciągały do wody czarne chude gałęzie. Było tak wzniośle, że aż się chciało płakać.

– Odkryłem to któregoś popołudnia i bardzo chciałem komuś pokazać.

293

– Komuś? – zdziwiła się.

– Najchętniej tobie. Kiedy się widzi coś aż tak ładnego, człowiek chciałby się tym podzielić.

– Dlaczego ze mną?

Jezioro błyszczało w niespodziewanym słońcu, aż oczy łzawiły.

– Masz w sobie dużo smutku.

Pokręciła głową.

– Ja też – dodał.

Dała krok w bok, w jego kierunku. Oparł kijki o drzewo i ją objął. Stali tak i było im razem całkiem ciepło.

Janina

Im dłużej leżała na tapczanie, im dłużej chodziła od ściany do ściany, im dłużej wystawała na balkonie, tym silniej buzowała w niej złość. Złość na Pawła. Baśka gdzieś poszła, ale to może i lepiej, jeszcze by ją podjudzała. A tu nawet podjudzać nie było trzeba, bo w myślach defilowały przed Janiną i sukienka ślubna, i bankiety, i audycje, i dziennikarka, która chciała pisać książkę o kobietach Solidarności. Tak, Janina była chyba najbardziej zła o to, że nie mogła zamieścić w tamtej książce własnej konspiracyjnej historii, swojego zdjęcia z czasów, gdy nosiła jeszcze grzywkę na czole i gazetki na brzuchu. Historie innych dziewczyn z konspiry stworzyły tę opowieść, a o Janinie nawet nie wspomniano. Taka ogromna, a znowu niewidzialna. Nieważna.

Miała ochotę gryźć i kopać, aż wreszcie, wzorem cholernej Baśki, królowej gniewu, postanowiła przejść się na siłownię, gdzie uruchomiła bieżnię. Ciężko było dźwigać kilogramy w tempie szybszym niż na co dzień (włączyła sześć kilometrów na godzinę, żeby się ze sobą nie pieścić). I co w tym fajnego? Krajobraz ciągle ten sam, a zmęczenie rośnie. Na początku w ogóle jej się nie chciało przestawiać stóp, następnie się oblała potem. (Mówiłem ci, moja droga, że weszłaś już w okres menopauzy, przypomniał się Paweł, więc momentalnie przyspieszyła do sześciu i pół na godzinę, żeby uciec przed tym gadaniem).Wreszcie tętno się przyzwyczaiło, krew zaczęła żywiej krążyć, optymizm narastał, a wściekłość wyparowywała z każdym uderzeniem stopy w bieżnię.

Ile gniewu miałaby w sobie Baśka, gdyby zrezygnowała z ćwiczeń? Strach pomyśleć.

Janina wreszcie zaczęła pojmować ideę tego całego sportu. Chodzi o to, żeby poukładać emocje. Z każdym krokiem mniej złościła się na Pawła, a nawet zaczynała go rozumieć. Poniżał ją, ponieważ był słaby. Niepewny. Stale musiał udowadniać, że jest lepszy. Tymczasem ona niechcący wysforowała się przed małżeński peleton. Przecież nie rozumiała, że to walka: ty wygrywasz albo ja. Myślała, że ich życie to coś w rodzaju współpracy.

Naiwna. Strasznie naiwna.

Zabolało.

Aż syknęła. Poza duszą zabolała również kostka. Janina pochyliła się, żeby ją rozmasować, potknęła się, zaryła czołem w bieżnię, spadła. Całe szczęście, że była sama, przynajmniej nikt się z niej nie śmiał. Całe nieszczęście, że była sama, bo jak ona się teraz wygramoli?

I to by było na tyle, jeśli chodzi o terapię gniewu.

Do tego też się nie nadawała.

Ale właściwie miała to centralnie gdzieś. Grunt, że kostka nieskręcona.

Baśka

Ledwie zdążyli z Andreasem na chudą kolację (sałatki plus bigos jarski, czytaj: kapusta z pomidorami, zero tłuszczu, zero mięsa, zero smażonej cebuli), ale też wcale się na nią nie spieszyli. Gdy wracali znad jeziorka, rozmowa z pogawędki przerodziła się w ostrożne badanie terenu:

– Jestem wdowcem.

– Wyznaczono mi już termin rozprawy rozwodowej.

– Zmarła półtora roku temu.

– Zostawił mnie pięć miesięcy i trzy tygodnie temu.

– Jestem chemikiem. W dużej korporacji.

– Pracuję w biurze.

– Dobrze się czuję w Niemczech.

– Za nic bym się nie wyprowadziła z Warszawy.

Nie padło natomiast żadne „podobasz mi się, może warto pociągnąć to dalej", bo dni na wczasach zostały trzy i żadne z nich nie było pewne, w którą stronę mają szansę zajść. Przez trzy dni prawdopodobnie niezbyt daleko.

Weszli do stołówki, odstawili kijki pod ścianę, poszli umyć ręce i usiedli przy swoich stolikach odprowadzani spojrzeniami wczasowiczów.

Z tego wszystkiego Baśka zapomniała, że po kolacji umówiła się na kolejny zabieg odchudzająco-ujędrniający, aż kosmetyczka musiała jej o tym przypominać. Baśka stanęła więc posłusznie w maleńkim pomieszczeniu wyłożonym kafelkami i czekała na pierwszy strumień wody wymierzony w pośladki. Bicze wodne.

Kosmetyczka w plastikowym fartuchu majdrowała przy konsoli, z której wychodził długi, czarny, gumowy wąż, który po chwili wyprężył się i prysnął silnym strumieniem w pośladki Baśki, przyciskając ją do ściany.

– Boli! – krzyknęła.

Kosmetyczka nieco zredukowała moc bicza.

– Im bardziej boli, tym lepiej rozbija tłuszcz – wytłumaczyła.

– Brała to pani kiedyś? – Baśka przekrzykiwała rozpryskujący się strumień wody.

– Nie muszę. Proszę się odwrócić, teraz z przodu.

– Nie, nie w brzuch!

– A jak tam pani sobie chce – obraziła się kosmetyczka. – Ale zapłaci pani za pełne bicze, piętnastominutowe, nie moja wina, że pani wytrzymała tylko pięć minut.

Wieczorem Baśka stanęła nago przed łazienkowym lustrem. Tyle razy robiła to już na tych wczasach, że aż spojrzała w dół, czy nie wyświeciła stopami podłogi. Nie wyświeciła.

Nie mogła oderwać wzroku od wysłużonego kombinezonu swojej skóry i po raz pierwszy od dawna nie zastanawiała się, jaki powinien być, tylko patrzyła, jaki jest. Już nie za obcisły, tu i ówdzie ewidentnie się rozluźnił. Nagle poczuła, że go lubi, ten dokument przegrywanej walki, dowód, że urodziła się dobre trzydzieści lat temu.

Gdyby godziny poświęcone masowaniu i kremowaniu przeznaczyła na uczenie się karcianych sztuczek, byłaby najlepszą szulerką na świecie. Gdyby pieniądze wydane na kremy i zabiegi składała w skarbonce, miałaby pałac piękniejszy niż Victoria

Beckham. Gdyby ten trud i walkę z lenistwem zogniskowała na nauce medytacji, lewitowałaby wyżej niż Sai Baba. Nie, Baśka się zbuntowała, dziś nie będzie kremować obwisłości, tylko da im odpocząć, biorąc przykład z sapiącej pogodnie Janiny, nie przejmując się tym, że rano znowu obudzi się osiem godzin starsza.

Postara się mieć to centralnie gdzieś.

Teraz i na zawsze.

Baśka

Gdy wróciła z wczasów, zadzwoniła mama. Nie, ani słowa o Michale. Zawiadamiała po prostu, że w telewizji pojawił się nowy polski serial o grubych kobietach, które usiłują schudnąć, żeby – między innymi – znaleźć faceta.

Baśka podziękowała za informację. Nie miała zamiaru oglądać serialu, bo już przeczuwała nudny morał: to nie od tuszy zależy posiadanie faceta oraz życiowe szczęście.

Ojej, naprawdę?

Gdy zobaczyła się z mamą (obie wciągały brzuchy), o serialu nawet nie wspomniała. O Michale też nie.

Janina

Nie miała pojęcia, że seks wywiera aż tak znaczący wpływ na figurę.

Współtwórcą orgazmów, które obficie inkrustowały Jasine dni po powrocie z wczasów odchudzających, był Reza, chirurg z Iranu. Poznała go w szpitalu (noga złamana na zumbie), uwiodła jedzeniem (polędwiczki wołowe w sosie kurkowym na pieczonych ziemniakach z rozmarynem) i całą resztą swojej pokaźnej osobowości. Teraz parę razy w tygodniu Janina cieszyła się śniadą, gładką skórą Rezy, a nawet, po ponad dwudziestu latach małżeństwa i jednym kochanku, zrozumiała wreszcie, czym jest orgazm. Otóż orgazm jest nawet lepszy niż ciasto z białej czekolady na kruchym czekoladowym spodzie posypane pestkami granatu.

Gdy Janina pokazała się w telewizji w nowym, seksualnie odchudzonym wcieleniu, zgłosiła się do niej firma produkująca środki odchudzające, żeby została ich twarzą. Janina jeszcze się zastanawiała. Być czyjąś twarzą z powodu mniejszego brzucha. Nie była pewna, czy tego chce.

Baśka

Codziennie jadała kolacje z Andreasem.
Idylla.

300

Co wieczór każde z nich rozstawiało laptopa na stole w swojej kuchni. On w Monachium, ona w Warszawie. Włączali Skype'a, jedli, gawędzili. Raz nawet odważyła się zasiąść przed komputerem w skąpej koszulce nocnej.

Andreas miał się pojawić w Polsce na święta. Te albo następne. Może lepiej następne, bo Baśka na razie nie widziała w swoim życiu więcej miejsca dla nowego faceta niż laptop rozłożony na kuchennym stole.

Upiór Baśki postanowił nie pojawiać się już nigdy i na razie dotrzymywał słowa.

Z GRUBSZA WENUS